CROISSANCE : l'impossible nécessaire

Jean Aubin

CROISSANCE : l'impossible nécessaire

(DEUXIEME EDITION)

planète bleue

Avron
02-99-85-32-32

Le Theil 35310 Saint-Thurial
planetebleue.edition.free.fr
courriel :planetebleue@tiscali.fr
ISBN : 2-9519536-1-5

Tout ce que je vois jette les semences d'une révolution qui arrivera immanquablement et dont je n'aurai pas le plaisir d'être témoin.
... Et alors ce sera un beau tapage. Les jeunes gens sont bien heureux ; ils verront de belles choses.

Voltaire, 1764.

Il n'y a pas de solution, il n'y a que des forces en marche.
Créons ces forces, et les solutions viendront.

Saint-Exupéry.

LA FIN DE L'HISTOIRE

Que se passe-t-il
J'y comprends rien
Y avait une ville
Et y a plus rien
Claude Nougaro

Voici vingt-trois siècles, la république romaine s'attachait déjà à fournir de l'eau, facteur d'hygiène et de confort, à la population des territoires qu'elle contrôlait. Dans les siècles qui ont suivi, elle a mis en place tout un réseau perfectionné d'aqueducs, qui alimentaient les fontaines publiques et l'intérieur des riches demeures. S'ajoutant au réseau des voies romaines et à la mise en place d'une administration efficace et de l'état de droit, ce système d'adduction d'eau apportait au monde de l'époque, le monde romain bien entendu, une infrastructure qui aujourd'hui fait encore défaut dans de nombreuses régions du globe.

Quelques siècles plus tard, tout ce bel édifice se lézarde et finit par s'écrouler ; l'Occident entre pour longtemps dans la nuit et le chaos. Comment la puissante civilisation romaine, sûre d'elle-même, a-t-elle pu se laisser abattre, malgré ses légions réputées invincibles, malgré son administration efficace et sa technologie sans concurrence ? Les barbares ? Mais ceux-ci ne font que donner le coup de grâce à un moribond : en bonne santé, Rome aurait pu résister parfaitement aux invasions. Alors, de quoi l'empire romain était-il malade ? De gigantisme, de sclérose, de divisions internes ? D'une trop grande dépendance du centre de l'empire par rapport à sa périphérie, à ses colonies, qui lui apportaient l'essentiel de sa richesse ? De tout cela sans doute, mais plus encore, de lassitude, de manque de goût de vivre, de ne plus savoir pourquoi on vit. Les romains voulaient du pain et des jeux. Dans un album d'Astérix, un préfet bedonnant se meurt d'ennui ; allongé devant ses festins, il ne sait que répéter : je suis las, las, las ! Et seule, la perspective d'être jeté aux lions met un peu de sel dans sa vie. Raccourci de ce qu'on a appelé la décadence romaine. Oui, de quoi meurt une civilisation ?

Peut-être de ne plus savoir quel est son sens, et donc de ne plus rien avoir à transmettre à la génération suivante. No future.

La civilisation dominante aujourd'hui, c'est évidemment la nôtre, la civilisation occidentale, même si elle n'est pas assise comme Rome sur un empire politique unifié. Et comme au plus fort de la prospérité romaine, personne ne veut douter du fait que cette civilisation est destinée à durer éternellement, en continuant à se développer à l'intérieur et à s'étendre à l'extérieur. L'œuvre civilisatrice de l'Occident a vocation sur la terre entière. Etant les plus attrayants, les plus puissants, les plus performants, les plus modernes, bref, les meilleurs, nous ne pouvons qu'attirer à nous l'ensemble des peuples, au fur et à mesure qu'ils nous mériteront. Ainsi d'ailleurs, il n'y aura plus de barbares à l'extérieur pour menacer cette Rome moderne. Ce sera alors la véritable fin de l'Histoire, cette fin annoncée à la chute du mur de Berlin.

Il suffit pourtant de rudiments d'Histoire pour savoir que toutes les civilisations naissent, connaissent leur apogée et meurent, comme Rome ou comme la civilisation aztèque, comme l'Egypte et comme Babylone, mais aussi comme les individus et comme les espèces. Est-ce la loi de la nature ? Probablement. Un organisme devenu trop gros ou trop spécialisé n'a plus la souplesse suffisante pour s'adapter. Les mammouths n'ont pu résister au changement de climat. Les dinosaures ont été balayés alors que les minuscules mammifères ont survécu au même cataclysme. Mais nous, nous pensons avoir vaincu la nature, cette loi ne nous concernerait donc plus. Désormais, la vie est un long fleuve tranquille…

A cette tranquille certitude se mêle pourtant une impression contraire, une inquiétude diffuse, un sentiment de menace. Depuis le 11 septembre, ce sentiment se cristallise autour du terrorisme. Trois mille morts à New-York et Washington, et c'est l'angoisse. Des morts atroces, oui. Des morts décidées de manière sinistre, oui. Mais des morts atroces, il y en a des milliers chaque année. Aux États-Unis, le nombre des victimes des armes à feu se monte à 28 000 par an, les morts dans les accidents de la route sont 35 000. Dans le monde, 6 000 enfants meurent *chaque jour* d'avoir bu de l'eau polluée. Pourquoi les 3 000 victimes des tours jumelles suscitent-elles autant de commentaires ? En raison de la nouveauté ? En raison de la programmation sinistre de l'événement ? Ou du fait qu'elles ont eu lieu chez nous (nous sommes tous américains, n'est-ce pas ?), chez nous qui pensions être protégés, chez nous qui n'envisagions de morts en masse qu'ailleurs, au Rwanda, en Ethiopie, en Bosnie, en Irak ?

Alors, le Président américain peut décréter la croisade contre l'empire du mal. Le Président français peut proclamer que nous serons intraitables face à la menace terroriste. Que nous saurons défendre nos valeurs. Quelles valeurs ?

L'Occident semble souvent dériver sans boussole, entre une mondialisation sans âme et l'absurdité de valeurs de pacotille. Mais ce monde où nous vivons a tout de même inventé deux choses essentielles. D'un côté, depuis deux siècles, l'Occident a construit la démocratie, les droits de l'homme, la liberté ; cela se fait avec des avancées et des reculs, mais avec un bilan tout de même fort appréciable. Depuis une cinquantaine d'années, il s'est installé dans une prospérité prétendument générale, incluant le droit à la santé et à la culture pour (presque) tous. Démocratie et prospérité sont imparfaites, incomplètes, mal réparties, mais déjà si précieuses qu'elles paraissent naturelles, au point que les bénéficiaires que nous sommes ont tendance à en oublier la valeur. Elles sont liées entre elles de manière étroite : on connaît peu de démocraties qui résistent longtemps à la misère (on sait dans quel contexte économique et social Hitler a pu mettre à bas la République de Weimar) ; on connaît peu de tyrannies capables de favoriser la prospérité économique, et de résister à la soif de liberté qui l'accompagne ; d'ailleurs pour durer, les tyrans préfèrent au besoin enfoncer un peu plus leur pays dans la misère, comme en Corée du Nord, au Zimbabwe ou ailleurs.

Démocratie et prospérité définitives ? On voudrait le croire. Pourtant, en 1983, Jean-François Revel se demandait si la démocratie n'aurait pas été une simple parenthèse de l'Histoire. Après la chute du Mur, la question n'est évidemment pas fondée sur les mêmes données. Cependant elle demeure : la démocratie, mais aussi la prospérité, sont-elles des parenthèses de l'Histoire, comme elles restent tristement des exceptions dans la Géographie mondiale ?

Ces valeurs méritent d'être défendues. Longtemps, on a pu croire qu'il suffisait pour cela de chars Leclerc, de Rafales et de sous-marins nucléaires. Ces moyens se révèlent bien dérisoires face à la menace terroriste. Et la menace terroriste elle-même se révélera peut-être un jour bien anodine face aux menaces ignorées qui proviennent de l'intérieur même de notre civilisation. Si nous aussi, nous consacrons toute notre énergie à produire et à consommer du pain et des jeux, du pain avec de plus en plus de choses entre les tartines, des jeux qui ressemblent chaque année un peu plus aux jeux du cirque, nous aussi, nous oublierons ce que nous avons à transmettre.

Ne croyant plus en l'avenir, Rome est tombée en précipitant tout l'Occident dans le chaos. Notre monde dispose aujourd'hui des moyens techniques pour faire entrer la Terre entière dans un chaos définitif. Avec la fin de la guerre froide, on a pu espérer que la menace du feu nucléaire, capable de mettre brutalement un point final à l'Histoire, s'était éloignée durablement. Les choses redeviennent plus complexes. Faut-il vraiment s'affoler face à des menaces nouvelles, menaces nucléaires émanant d'états-voyous, menaces chimiques ou biologiques, et autres formes de terrorisme ? La menace la plus réelle n'est-elle pas plutôt chez nous, plus diffuse, difficile à cerner, mais prospérant sur l'ignorance du passé, sur le flou des valeurs qui guident notre présent, et sur le refus de préserver l'avenir ?

Aujourd'hui, nous redécouvrons que la fin de l'Histoire est remise à une date ultérieure. Notre responsabilité est d'inventer le monde de demain, et pour ce faire, de lui trouver un sens, de préciser le goût de ce que nous voulons transmettre, de mettre en place les conditions de cet avenir, ainsi qu'un moteur pour avancer durablement dans le sens choisi. Quel est aujourd'hui notre sens ? Quel est aujourd'hui notre moteur ?

La fuite en avant

La croissance ! La croissance ! La croissance ! scandent-ils tous en chœur, en sautant comme des cabris. Tous ou presque, responsables politiques de droite et de gauche, dirigeants d'entreprises, syndicalistes, journalistes, économistes, reprennent à l'unisson le même refrain, devant la foule subjuguée. Nous serions tous amoureux du taux de croissance. Le voilà, le moteur de notre civilisation, et il porte en lui-même son sens.

C'est peu de dire que la croissance fait la pluie et le beau temps : elle se ralentit, et c'est la crise, cette crise de bientôt trente ans qui a succédé aux Trente Glorieuses. En cette fin de siècle, la croissance repartait, répandant l'euphorie : l'an 2000 promettait enfin le bout du tunnel tant de fois annoncé, le retour promis au plein emploi, la fin de tous les problèmes ; tout guilleret, le CAC 40 flirtait avec les 7000 points... Hélas, la mariée était trop belle : l'année 2001 révélait rapidement une baisse de la croissance aux États-Unis, puis dans l'ensemble du monde industrialisé ; c'était encore une fois la douche glacée ; le bout du tunnel, ce serait pour plus tard. A nouveau, et avant même les attentats du 11 septembre, revenaient l'inquiétude et la déprime...

Et c'est vrai, il y a là matière à craindre ou à espérer. Le spectre de la grande récession des années 30 plane toujours. Et l'extrême-droite fait en Europe ses choux gras de l'insatisfaction, de l'inquiétude, des replis favorisés entre autres raisons par une situation de moindre croissance.

Il est facile de conclure que la croissance économique est une condition nécessaire non seulement à la prospérité générale, mais encore à la paix sociale et à la démocratie. Vive la croissance donc !

Oui. Seulement, il y a un léger problème. Comment en effet envisager une croissance sans fin de la consommation des ressources disponibles, dans un monde qui lui est bel et bien fini, limité ? Le professeur Albert Jacquard pose cette question dans *L'équation du Nénuphar*, et la reprend inlassablement dans nombre de ses interventions.

Cette question est liée à une autre : qu'est-ce qui pousse ainsi notre monde vers la croissance sans fin ? La société occidentale semble réunir les conditions du bien-vivre, du vivre heureux ; elle ne mérite guère le reproche de faire le mal : la prospérité, la liberté, les progrès de la médecine, des loisirs et de la culture, qui pourrait trouver à y redire ? Et la croissance, c'est la promesse que demain sera encore meilleur, que les progrès vont se poursuivre, se généraliser et devenir accessibles à tous. Rêve à la fois généreux et réaliste, ou seulement caprice d'enfant gâté, exigence de gosse de riche, blasé, arrogant, méprisant, jamais content, centré entièrement sur lui, se croyant tout permis, estimant que tout lui est dû ?

Quelle croissance possible ? La croissance pour quoi faire ? Ces interrogations sont redoutables : si nous nous montrons incapables de leur apporter des réponses, nous installons le monde sur une poudrière dont l'explosion pourrait lui être fatale. Ces questions ne sont pas inédites, loin de là. On peut les entendre de plus en plus souvent, au détour d'une émission de radio ou de télévision, ou les lire dans bien des articles de presse et quelques ouvrages : Albert Jacquard n'est ni le premier ni le seul à les aborder. Il est en bonne compagnie, avec des personnes comme lui reconnues, respectées, vénérées parfois à défaut d'être écoutées, du Mahatma Gandhi hier au Dalaï-Lama aujourd'hui, en passant par Théodore Monod, Ivan Illich, René Dumont, Hubert Reeves et bien d'autres, qui ont posé et posent encore les questions globales, celles à la fois des implications concrètes et du sens de cette quête désespérée. D'autres, moins connus, essaient régulièrement d'attirer l'attention sur les graves problèmes dont ils sont témoins dans leur domaine de compétence, santé, environnement, économie, sociologie, développement, géopolitique... Cependant, ces questions semblent passer sans laisser de traces, enfouies dans le brouhaha ambiant, balayées par le vent des événements et des non-événements, comme si elles devaient rester sans conséquence. Et si elles passent sans laisser de traces, c'est qu'elles sont en décalage complet par rapport à cette évidence dans laquelle nous baignons, ce dogme selon lequel croissance et consommation sont les deux mamelles de toute civilisation moderne.

La remise en cause de cette vérité révélée ne peut être que le fait d'esprits chagrins inadaptés à la modernité ; c'est une faute de goût et un manque de bon sens. Une hérésie. Il est indécent de considérer qu'à tout miser sur la croissance, on ne fait que choisir la fuite en avant, que loin d'assurer l'avenir, on charge d'une grave menace notre civilisation, voire l'humanité tout entière. En d'autres lieux, en d'autres temps, une telle déviance devait être soignée : on vous conduisait tout droit à l'hôpital psychiatrique. Aujourd'hui, on se contente de hocher la tête et de passer à autre chose… *"Pour le restant de vos jours, vous serez tenté de dire à ceux qui vous entourent : « Comment pouvez-vous écouter tout cela sans vous rendre compte que c'est une supercherie ? » Et si vous le faites, les gens vous regarderont d'un air bizarre et se demanderont de quoi vous parlez. En d'autres termes, vous allez vous trouver marginalisé par rapport à votre entourage : amis, famille, partenaires, etc.* "[1]

Oui, le contenu de cet ouvrage peut provoquer un mouvement de rejet, du simple fait des questions dérangeantes qu'il pose. L'indignation au sujet des naufrages de l'Erika ou du Prestige, ou du scandale de la vache folle, est consensuelle. L'interrogation sur les liens entre ces scandales et notre mode de vie l'est nettement moins. Le risque est donc réel d'être incompris en voulant poser ici ces questions à contre-courant, pour les aider à prendre consistance. Dire que les choses *peuvent aller* mal, ce n'est pas dire qu'elles *vont aller* mal. Il est nécessaire de présenter la réalité pour en tirer le meilleur ou en tous cas éviter le pire.

Comment montrer une telle audace sans être un philosophe médiatique, ni un sociologue reconnu, un économiste ou un homme politique, un expert ou un spécialiste ? Cet ouvrage ne déborde pas de citations, de références, ni de statistiques résultant d'une longue recherche universitaire. Il rassemble simplement les réflexions et les interrogations d'un homme qui regarde le monde tel qu'il est, et vers où il semble aller. Oui, c'est un livre de questions plus que de réponses. A ces questions, bien malin qui peut apporter des réponses toutes faites : celles-ci restent à inventer. Mais pour rechercher des solutions, il faut d'abord avoir conscience du problème, et poser celui-ci clairement. Ce n'est qu'ensuite qu'on pourra proposer quelques pistes, comme autant d'invitations à pousser plus loin l'interrogation, à se laisser malmener par certaines évidences oubliées. A l'occasion de la parution de son livre *Le Pôle Intérieur*, Jean-Louis Etienne rappelait dans une émission de radio qu'il n'existe pas de solution globale sans conscience, qu'on ne peut faire l'économie d'une prise de conscience individuelle.

---

[1] Daniel Quinn, *Ishmael* (Anne Carrière).

Oh bien sûr, tout cela paraîtrait bien naïf aux esprits forts, bardés de certitudes, aux virtuoses de la prévision économique, capables de prévoir en 2000 la fin définitive du chômage et la prospérité renforcée, dans le miracle des nouvelles technologies. Mais l'avenir du monde doit-il être laissé entre les mains de ces experts si compétents, de ceux qui voyaient le monde comme une start-up et comme un casino où tous les coups étaient gagnants ? Ils nous avaient gaillardement promis en l'an 2000 le CAC 40 à 7 000 points, voire 10 000 ; deux ans après, celui-ci se traîne à 3 000 ; les modèles qu'ils ont voulu nous faire adorer, genre France-Télécom et Vivendi, et toute la fameuse nouvelle économie, se retrouvent quelques mois après dans l'enfer boursier. Ce n'est pas si grave en soi. Mais gardons-nous de ces gourous mégalomanes. La Fontaine nous a appris que la grenouille, à force de vouloir se gonfler, finit par éclater. Le monde est malade de sa démesure. Le pragmatisme triomphant a bizarrement accouché d'un monde virtuel qui ignore tout de la réalité. Les scandales financiers qui se succèdent aux États-Unis dans la foulée de l'affaire Enron montrent combien les dirigeants de grosses entreprises, supposés hyper-réalistes, se sont égarés loin du réel, trop enivrés au vin de la démesure. Le monde n'est pas la bourse. C'est la vie. Et quand une mentalité de boursicoteur fait peser sur l'avenir une menace grave, il faut savoir s'interroger.

EFFET DE SERRE : LA SURCHAUFFE.

L'environnement n'est pas une affaire de religion, d'éthique ou de morale. Celles-ci sont des luxes, car on peut survivre sans elles. Mais survivre nous sera impossible si nous continuons à nous acharner contre la nature.

Sa Sainteté le Dalaï Lama.

Au loin la Liberté.

S'il est un domaine où l'interrogation commence à se faire pressante, c'est celui du changement climatique. Rappelons-en d'abord les mécanismes et les enjeux. L'ensemble de cet ouvrage replacera ensuite ce problème dans un contexte global.

Tout commence voici trois milliards huit cents millions d'années. La Terre est âgée de quelque sept cent millions d'années. Elle baigne dans une atmosphère corrosive où dominent le méthane, le gaz carbonique, l'ammoniac. Dans cette soupe primitive va naître la vie, peut-être sous l'impulsion des décharges électriques des éclairs. A moins que la vie ne soit venue d'ailleurs, apportée par des comètes ou des météorites, ce qui n'explique pas comment elle est née dans cet ailleurs : que ce soit sur Terre ou ailleurs, la question de l'origine reste largement inexpliquée. Mais ce n'est pas notre sujet.

Pendant trois milliards d'années, les premières formes de vie restent rudimentaires : algues unicellulaires, bactéries... Mais, aussi simple soit-il, tout ce petit monde a inventé quelque chose de fabuleux, qui lui permet de vivre, et qui de plus permet le développement de toute la vie ultérieure. Cette invention, c'est la photosynthèse, c'est-à-dire la faculté d'utiliser l'énergie de la lumière solaire pour décomposer le gaz carbonique de l'atmosphère, fixer le carbone et s'en nourrir. Et en fixant le carbone, ces organismes primitifs libèrent l'oxygène, comme le feront plus tard mousses, prêles et fougères,... et comme le font encore les plantes actuelles. Ainsi se met en place une formidable machine à épurer l'atmosphère.

Pourtant, au moment de leur mort, ces organismes pourrissent, et le carbone retourne à l'atmosphère. Bilan nul, donc ? Pas tout à fait, car dans certaines conditions, dans des marécages par exemple, les cadavres de végétaux se décomposent d'une manière particulière, formant les hydrocarbures qui s'accumulent en donnant pétrole, gaz naturel, charbon. Les combustibles fossiles, selon leur dénomination actuelle, ne sont donc rien d'autre que le stock de carbone prélevé à l'atmosphère terrestre au cours d'un très long processus d'épuration, processus qui a élevé le taux d'oxygène suffisamment pour permettre l'apparition des animaux.

Le carbone de l'atmosphère s'est trouvé piégé d'une autre manière : les violentes pluies très agressives de cette aube de l'histoire terrestre ont érodé furieusement les roches, attaquant en particulier le calcium et le magnésium qu'elles contenaient. Se combinant au calcium, le gaz carbonique dissous dans ces pluies a formé le calcaire, ou *carbonate* de calcium. Ultérieurement, lorsqu'elle est devenue possible, la vie animale primitive a complété à son tour le stockage du carbone sous cette forme de calcaire. Une partie de cet élément constitutif majeur du sol et du sous-sol s'est en effet formée par l'accumulation des débris des squelettes calcaires des petits animaux, à l'ère secondaire notamment. Les fossiles de coquillages retrouvés en grand nombre dans ce type de roche sont les marqueurs bien connus de cette origine.

Ainsi, l'oxygène de l'air, indispensable à la vie, témoigne d'une vie préalable, à l'origine du formidable cercle vertueux de diversification et de complexification qui mène aux animaux supérieurs et à l'homme.

A côté de ces deux formes fossiles de stockage du carbone de l'atmosphère : hydrocarbures et roches calcaires, (fossiles, c'est-à-dire témoins et résultat d'un passé révolu), à côté de la masse colossale du gaz carbonique dissout dans les océans (on avance le chiffre de 40 000 milliards de tonnes), il s'en trouve une autre, beaucoup plus modeste en quantité, mais qui nous touche au plus près : nous. Nous, c'est-à-dire la biomasse, la masse des êtres vivants, du champignon au champ de blé, du brin d'herbe au baobab, du ver de terre à l'homme. Stockage instable par définition, mais qui, de par son renouvellement incessant, offre une assez grande stabilité en quantité.

Aujourd'hui, que se passe-t-il ? Que devient tout ce carbone ? Depuis le début de l'ère industrielle, depuis le début même de l'humanité, le stock de carbone fixé dans le calcaire semble pratiquement inchangé, on l'a juste écorné pour la fabrication de la chaux et du ciment ; ce n'est tout de même pas rien : la consommation de ciment dans le monde s'approche des deux milliards de tonnes par an, ce qui représente près de 10% des rejets de gaz carbonique. Ajoutons-les aux consommations de combustibles fossiles, aux milliards de tonnes de charbon, gaz et surtout pétrole qui partent en fumée depuis deux cents ans, et plus rapidement encore depuis cinquante ans : tout cela marque le retour à l'atmosphère, en un temps extrêmement court, d'une part importante du stock patiemment constitué pendant des milliards d'années. En brûlant, un litre d'essence consomme 2,8 litres d'oxygène ; autrement dit, une voiture qui consomme sept litres aux cent kilomètres absorbe sur ces cent kilomètres vingt litres d'oxygène, c'est-à-dire la production annuelle d'un arbre en pleine croissance.

Tout ce que nous rejetons ne reste pas dans l'atmosphère : on estime que la planète réussit à en absorber trois à quatre milliards de tonnes par an, une bonne moitié étant stockée par les océans, la petite moitié restante par les terres émergées. Seulement, nous en rejetons actuellement sept milliards de tonnes par an, c'est-à-dire deux fois plus que ce que la Terre peut absorber. La moitié s'accumule donc dans l'atmosphère, et continuera à le faire tant que nous ne serons pas redescendus sous cette barre de trois à quatre milliards.

Et alors ? Où est le problème ? En quoi le retour à l'atmosphère d'une partie du carbone est-il gênant ?

La réponse commence à être connue. L'accroissement du taux de gaz carbonique de l'air, le fameux CO_2, et aussi celui d'autres gaz comme le méthane, provoque le fameux effet de serre : une sorte d'enveloppe diffuse qui piège les rayons solaires : ceux-ci continuent à entrer pour nous réchauffer, mais le rayonnement de la Terre vers l'extérieur, dont la longueur d'onde est plus grande, a un peu plus de mal à sortir. Un tout petit peu plus, mais cela suffit à créer un déséquilibre : il y a un peu plus de chaleur à entrer qu'à partir, la température s'élève donc légèrement. Sur un siècle, l'augmentation pourrait être d'un peu moins de deux degrés au minimum, à près de six degrés au maximum. On le voit, la fourchette de prévisions est assez large.

Que l'augmentation soit au minimum ou au maximum de la fourchette, elle aura des effets importants sur le climat et sur le niveau des océans, même si ces effets restent en partie imprévisibles dans le détail. Mais avant d'aborder ces conséquences, remarquons tout d'abord que la variation de l'effet de serre n'est pas inédite dans l'histoire tumultueuse de le Terre. Les études sur les carottes de glaces provenant des forages dans l'Antarctique ont permis, grâce aux microbulles d'air "d'époque" qu'elles contiennent, de retrouver la composition de l'atmosphère sur quelques centaines de milliers d'années, et d'émettre l'hypothèse d'un lien étroit entre la température sur Terre et la teneur en gaz carbonique de l'air. Pour faire simple, les périodes glaciaires correspondraient à un taux de gaz carbonique faible, les périodes plus chaudes à un taux plus élevé. Les variations de l'effet de serre pourraient être, avec les fluctuations de l'orbite terrestre autour du soleil, responsables de l'alternance entre glaciation et réchauffement, sans que l'on sache très bien ce qui a pu provoquer cette variation de la teneur en CO_2.

Bien. Le phénomène est donc naturel. Pourquoi s'en inquiéter ? Justement, parce qu'il n'est pas naturel : provoqué par l'activité humaine, il est beaucoup plus rapide. On risque de devoir gérer sur un demi-siècle une variation de température qui se répartirait naturellement sur des millénaires. Et si les troupeaux de rennes ou de mammouths ont pu s'adapter plus ou moins bien à un réchauffement réparti sur cinq ou dix mille ans (plutôt mal d'ailleurs dans le cas des mammouths), sept à dix milliards d'humains risquent de rencontrer des problèmes sérieux pour vivre cette adaptation sur un siècle ou moins. Et le phénomène est non seulement plus rapide, mais aussi beaucoup plus important qu'il ne l'a jamais été pendant les centaines de milliers d'années sur lesquelles la science disposes de données : le taux de CO_2 dépasse désormais tous les records. Et si rien n'est fait, d'ici un siècle, ces records actuels seront eux-mêmes multipliés par deux ou par trois.

Alors, quels effets pouvons-nous attendre de ce réchauffement ?

Tout baigne.

Le premier scientifique à s'être penché sérieusement sur le sujet, vers les années 1900, est le Suédois Arrhénius, prix Nobel de chimie 1903. Il avait calculé que, si l'on doublait la concentration de CO_2 dans l'atmosphère, la température grimperait de quelques degrés, ce qui était pour lui une perspective réjouissante. Il prévoyait en effet qu'un climat plus chaud favoriserait la production agricole, la belle saison étant plus longue, la croissance des végétaux plus rapide, le sol plus arrosé. Ce n'était pas absurde à une époque où les connaissances sur le climat étaient nettement plus réduites, et où on ignorait en particulier que la transition entre un équilibre climatique et un nouvel équilibre correspond à une période de très grande instabilité, favorable à tous les excès, tempêtes, inondations, sécheresses…

Aujourd'hui, la production agricole n'est pas le souci premier des citadins que nous sommes devenus en majorité, et qui auraient plutôt tendance à se réjouir en pensant que l'eau sera plus chaude sur les plages des vacances. Boutade pour boutade, si c'était aussi simple, on pourrait craindre alors d'avoir moins de neige en hiver dans les stations de ski, ce qui, tous comptes faits, ne changerait pas la face du monde. Mais justement, ce n'est pas aussi simple.

Car plus sérieusement, ce qui est sûr, c'est la montée du niveau des mers, due pour une part à la fonte partielle des calottes polaires, mais surtout à la dilatation des eaux, comme dans le réservoir d'alcool ou de mercure d'un thermomètre. Pour la plupart des pays, que le niveau de la mer soit un ou deux mètres plus haut, cela n'a guère d'importance. Sauf pour les Pays-Bas (mais les Néerlandais ont les moyens techniques et financiers de remonter et renforcer leurs digues). Sauf pour les Maldives, dont le point culminant est à une altitude de... quatre mètres, et dont la majeure partie est à moins de deux mètres. Sauf pour le Bangladesh surpeuplé, où la population est déjà à la merci des inondations fréquentes et meurtrières dans un delta désespérément plat : 300 000 morts en 1970, autant en 1991 ; c'est à chaque inondation un drame économique et humain qui laisse le pays un peu plus exsangue. Et l'embouchure du Gange et du Brahmapoutre ne forme pas le seul delta très peuplé menacé par une montée des eaux : plus d'un demi-milliard d'Asiatiques vivent dans des deltas inondables. Si le niveau des océans montait d'un mètre, une partie importante des terres arables du monde serait menacée, soit par submersion pure et simple, soit par une remontée de sel les rendant impropres à la culture.

Quel temps ferons-nous ?

Très importantes également, mais plus difficiles à prévoir de manière précise, sont les conséquences sur les climats, qui concernent l'ensemble de l'humanité. Les pluies, les vents, les courants marins, les cyclones, sont soumis à l'interaction complexe des masses d'air de l'atmosphère, masses d'air dont les emplacements moyens sont assez stables, et entre lesquelles les échanges, calmes ou violents, régularisent l'humidité, les températures et les pressions de l'atmosphère. Que la température moyenne sur Terre soit modifiée et tout cet équilibre sommaire s'en trouve bouleversé. Une atmosphère plus chaude est une atmosphère plus humide et plus instable ; la tendance est à l'orage ou à la tempête. Les phénomènes extrêmes ont toujours existé, mais ils se multiplient de manière inquiétante, comme le montrent les statistiques de Météo-France : sécheresses et canicules, inondations catastrophiques, violentes tempêtes ont vu leur fréquence doublée, voire triplée, depuis une trentaine d'années. Il n'est d'ailleurs guère besoin de statistiques pour constater cette succession accélérée d'accidents météorologiques : les sécheresses, les tempêtes, comme celles de Noël 99, les inondations qui se succèdent désormais en rangs serrés un peu partout en France, mais aussi en Europe centrale, en Chine, illustrent cette inquiétante évolution. Phénomène passager ? On aimerait le croire. Les spécialistes, avec leur prudence scientifique, hésitent encore à l'affirmer en toute rigueur. C'est difficile d'apporter une preuve scientifique, d'autant plus dans un domaine où règne une grande part de hasard. Si en lançant un dé, on obtient six, on ne peut rien dire ; si on le lance mille fois et qu'il nous donne quatre cents fois le six, on peut affirmer de manière pratiquement certaine qu'il est pipé ; mais entre les deux, si en le lançant vingt fois, on obtient le six à onze lancers, on soupçonne fortement qu'il est pipé, sans pouvoir vraiment l'affirmer. Pour les changements climatiques, c'est la même chose : tout un faisceau de présomptions se met en place autour des premiers signes d'une modification durable du climat en raison de l'effet de serre. Et les études récentes en France prévoient la multiplication de ces phénomènes. Les grandes compagnies mondiales de réassurance ne s'y trompent pas : obligées de mettre la main à la poche pour indemniser les dégâts dus à ces catastrophes qu'on hésite à qualifier encore de naturelles et qui, d'exceptionnelles, deviennent de plus en plus courantes, elles commencent à tirer la sonnette d'alarme.

De manière plus globale, au niveau mondial, on imagine qu'avec une atmosphère globalement plus chaude et plus humide, la zone équatoriale humide peut s'élargir de quelques centaines de kilomètres. Pour les régions semi-arides du Sahel, le retour de pluies abondantes serait une bénédiction. Le Sahara, verdoyant voici quelques millénaires, pourrait le redevenir. Dans ce cas, vive l'effet de serre ! Oui, mais ce scénario reste très improbable, et les prévisions tablent plutôt sur une accentuation des contrastes : des zones sèches encore plus sèches, des zones humides encore plus arrosées. Avec beaucoup de variations locales dans ce schéma d'ensemble.

L'Europe occidentale pourrait être confrontée à l'une des bizarreries du réchauffement. Pour mieux le comprendre, jetons un coup d'œil à la mappemonde. Surprise. Il apparaît que New-York, avec ses gigantesques vagues de froid, est situé à la latitude de Madrid et de Porto. Que Montréal est sur le même parallèle que Bordeaux. Que les brumes glacées de Terre-Neuve sont au niveau de Saint-Malo ou Paris.

Qu'est-ce qui explique cette différence de climat, d'une rive à l'autre de l'Atlantique ? Ce sont les courants marins. En Europe occidentale, nous bénéficions du fameux Gulf-Stream, ce gigantesque courant d'eau chaude qui nous arrive du Golfe du Mexique et qui, après avoir traversé tout l'Atlantique, longe nos côtes en apportant à l'Europe de l'ouest et même du nord, jusqu'en Norvège, une douceur remarquable. De l'autre côté de l'Atlantique, le courant froid du Labrador, qui descend de l'Arctique vers la côte est du Canada et des États-Unis leur apporte un climat incomparablement plus rigoureux à latitude égale.

En cas de réchauffement de la Terre, cet équilibre peut être rompu comme les autres. Dans quel sens ? Il est impossible de le dire avec certitude pour l'instant. Les climatologues en sont encore au niveau des hypothèses. Mais rien n'est à exclure. En particulier la disparition pure et simple du Gulf-Stream. Celui-ci aurait en effet pour moteur l'eau froide très salée qui borde la banquise arctique et qui, plus lourde, tend à s'enfoncer. Ce faisant, elle crée un appel d'eau en surface, appel qui se répercute jusqu'aux eaux chaudes et légères du golfe du Mexique. Si la banquise disparaît, ce qui sera probablement effectif avant un siècle, ce moteur s'arrêtera. (La banquise recule chaque année d'une surface égale à celle des Pays-Bas, et, pendant l'été 2000, il semble que le pôle nord se soit trouvé en eau libre ou tout au moins sous la glace fondante). Notre climat en sera bien évidemment bouleversé : de manière paradoxale, l'Europe occidentale pourrait alors connaître en période de réchauffement global une ère semi-glaciaire.

Le réchauffement a également un impact sur la répartition dans le monde des maladies, des ravageurs, des parasites. Depuis quelques années sévit désormais en Corse une grave maladie du mouton, auparavant cantonnée dans les régions plus chaudes d'Afrique du Nord. Comment cette fièvre, qui fait de gros dégâts, a-t-elle pu traverser la mer pour atteindre l'Ile de Beauté ? Simplement parce que le moustique qui propage la maladie a profité d'une élévation d'un degré de la température moyenne pour survivre et se développer dans l'île. Un degré, c'est peu, et c'est déjà beaucoup.

Ainsi, entre les modifications des différents éléments qui régissent le climat : masses d'air, courants marins, régime des vents, évaporation, notamment, quels effets faut-il espérer ou redouter ? Dans le détail, il reste beaucoup d'incertitudes ; une chose toutefois est pratiquement certaine : les bouleversements seront importants et rapides. Et dans un siècle, la carte des zones arides et des régions bien arrosées, des zones chaudes et des zones froides, des régions où sévissent tel parasite et telle maladie, des terres pouvant convenir à telle culture ou stérilisées par la montée des mers, sera bien différente de ce que nous connaissons, la routes des cyclones sera autre, le régime des moussons également.

D'ores et déjà, le processus est engagé et rien ne pourra l'arrêter, à vue humaine : long à se mettre en route, il est également lent à freiner et à stopper. Cela ne veut pas dire que l'humanité reste confinée dans un rôle d'observation passive. Les choix des prochaines années restent au contraire cruciaux, quant à l'ampleur des conséquences et à leur durée. Que les rejets de gaz à effet de serre continuent comme si de rien n'était, augmentent même, et les effets atteindront leur ampleur maximale et deviendront peut-être irréversibles. Que soit rapidement mise en place une nouvelle approche de notre relation à nos ressources naturelles, et ces effets pourront rester limités dans leur ampleur et pourront peut-être régresser. Selon notre manière de nous déplacer, de nous chauffer, de nous nourrir, de produire et de consommer dans les prochaines décennies, la température de notre Terre augmentera de deux degrés ou de six degrés pendant ce siècle. Au minimum de la fourchette, on n'évitera pas de toute manière les tempêtes et les inondations de plus en plus fortes et de plus en plus fréquentes, et pas seulement dans la Somme et dans le Gard ; on n'évitera pas le déplacement des zones de paludisme et de dengue ; les deltas d'Asie n'éviteront pas les problèmes gigantesques. A six degrés de plus, on entre dans l'inconnu complet…

Comment se feront sur un temps aussi court les adaptations et les choix nécessaires ? Les pays riches trouveront certaines parades techniques, économiques et sociales. Les plus pauvres, comme toujours, seront démunis et prendront de plein fouet les catastrophes. Reste à savoir qui sera assez riche dans cinquante ans, dans cent ans. Nous encore, bien sûr ! Peut-être. Le monde change vite.

Les problèmes liés aux bouleversements climatiques sont en bonne place sur la liste des nombreux défis que l'humanité devra relever pendant ce siècle. Il s'agit de savoir quelle vie nous préparons pour nos petits-enfants.

L'EFFET NÉNUPHAR

Deux et deux quatre
Quatre et quatre huit
Huit et huit font seize
Et seize et seize qu'est-ce qu'ils font
Ils ne font rien seize et seize
Et surtout pas trente-deux
Jacques Prévert.

Le problème de l'effet de serre n'est qu'un des nombreux problèmes écologiques que doit affronter l'humanité pendant les prochaines décennies.

Ce qui est en cause, c'est la gestion d'une quantité de ressources terrestres, certes considérable, mais malgré tout finie, par une population dont les besoins, ou tout au moins les désirs, les envies, paraissent infinis. Dans le mot *ressources,* il faut placer les notions de matières premières, d'énergie, de surface cultivable, de renouvellement du poisson dans les océans, d'eau d'irrigation, d'eau potable, d'air pur, etc., et aussi les capacités de la planète à absorber les agressions et à digérer les pollutions de toutes sortes.

La situation est illustrée par l'image du nénuphar, reprise par le professeur Albert Jacquard dans son livre *L'équation du nénuphar*. L'histoire est connue : dans un étang, un nénuphar double de surface tous les jours. S'il recouvre et étouffe l'étang en trente jours, combien de jours met-il à recouvrir la moitié de l'étang ? Eh non, perdu, ce n'est pas en quinze jours !...

Image simple, devinette pour enfants ? Pas seulement, car elle peut aider à comprendre la situation de notre civilisation. Il s'agit de la modélisation mathématique d'une situation réelle. Construire un modèle mathématique consiste à simplifier plus ou moins la réalité pour en faciliter l'étude. Ce n'est pas la réalité, mais une approche plus ou moins satisfaisante. En classe de Première Scientifique, on peut modéliser par exemple l'évolution d'une population de bactéries en supposant que chaque bactérie se divise en deux toutes les heures :

c'est très approximatif, mais ça donne des idées. Pour prévoir le temps qu'il fera dans cinq jours, le modèle mathématique des ingénieurs de la météo est énormément plus compliqué, car il doit prendre en compte les milliers de données recueillies par les capteurs disséminés en différents points du globe ; il est nécessairement très imparfait, car il néglige des milliards de facteurs impossibles à prendre en compte, comme par exemple le fameux battement d'aile du papillon, réputé pouvoir peut-être donner naissance à un cyclone... Cependant, malgré son imperfection, le modèle joue son rôle.

Mais revenons à notre civilisation. Si le modèle du nénuphar peut nous éclairer, c'est parce que celle-ci privilégie un mode de croissance exponentielle. Qu'est-ce à dire ? Tous ceux qui dans leurs tendres années ont été traumatisés par les programmes de mathématiques, ou par les professeurs chargés de cette discipline, s'apprêtent déjà à jeter ce livre par la fenêtre. Allons, faisons en sorte que ce soit abordable par tous. On parle de croissance exponentielle, ou de progression géométrique, pour qualifier une croissance en pourcentages. Prenons l'exemple d'une valeur qui augmente de 7% par an : si elle part de 100, elle va passer à 107, de même, elle passerait de 200 à 214, ou de 50 à 53,5 ; bref, on doit la multiplier par 1,07 chaque année. Au bout de deux ans, la valeur de départ sera multipliée par 1,07×1,07. Etc... Au bout de 10 ans, elle sera multipliée par 1,07×1,07 ×1.07×..., c'est-à-dire $1{,}07^{10}$ (1,07 puissance 10), ce qui vaut pratiquement 2 (plus précisément 1,96). Et nous voilà revenus à la situation du nénuphar, ou à celle de notre population de bactéries : avec une croissance de 7% par an, on multiplie par 2 tous les 10 ans, donc par 2×2 au bout de 20 ans, ... et par 2^{10}, c'est-à-dire 1024 (arrondissons à 1000) au bout d'un siècle. Faut-il continuer ? Après deux siècles, on en est à multiplier par un million (1000×1000). Après trois siècles... Non merci, ça va.

Dans le cas d'une croissance moins soutenue, 5%, 3%; 1%..., le phénomène est bien sûr ralenti, mais suit toujours le même schéma. Par exemple, dans le cas d'une croissance modérée, à 2,5%, on multiplie tout de même par douze en un siècle. Et à 3%, seuil de l'euphorie, c'est par vingt qu'on multiplie en un siècle, par quatre-cents en deux siècles, par huit mille en trois siècles. Ceci est valable pour toute grandeur appelée à augmenter d'un pourcentage fixe, qu'il s'agisse d'un capital, du financement de la Sécurité Sociale, des besoins en électricité ou en eau potable, des rejets de gaz carbonique, ou de la population mondiale.

On estime à 250 millions la population mondiale au début de notre ère. Si pendant ces 2000 ans, elle avait connu ne serait-ce qu'un accroissement annuel de 0,5%, taux très faible en regard des 2% des années 1965-1970, nous serions actuellement non pas 6 milliards mais 5 000 milliards sur Terre. Toujours l'effet nénuphar.

Vous n'êtes pas encore convaincu des vices et des vertus de la croissance exponentielle ? Prenons alors un autre exemple. Chacun sait que lorsqu'ils vinrent voir l'Enfant Jésus, les Mages lui apportèrent l'or, l'encens et la myrrhe. Ce qu'on sait moins, c'est que Jésus refusa l'or. On aurait pourtant dû s'en douter : l'or, ce n'était vraiment pas son truc. Aussi, Melchior, bon prince, laissa l'or aux bergers qui se trouvaient là. Ceux-ci s'empressèrent d'investir la somme dans l'achat en commun d'une clôture électrique, ce qui n'était pas donné à l'époque. Mais l'un d'eux refusa d'adhérer à cette coopérative agricole, et réclama sa part, un franc tout rond (c'était bien avant l'euro). Il négocia aussitôt pour ce petit franc un contrat de placement perpétuel avec la caisse d'épargne, au taux non révisable de 2,5%. Une misère. Depuis ce jour, il n'a fait aucun retrait. Combien possède donc aujourd'hui cet individu un peu radin, s'il vit encore ?

Eh bien, le calcul est simple : à 2,5% l'an, son capital est multiplié par 1,025 chaque année. Après 2000 ans, notre berger possède donc $1{,}025^{2000}$ francs. Cela fait combien ? N'importe quelle calculatrice vous le dira : $2{,}8 \times 10^{21}$. Mais encore ? Eh bien, cela correspond au budget français actuel pendant 1,75 milliard d'années. Ou si vous préférez, à 10 000 euros le kilo d'or, on pourrait recouvrir la France entière d'une couche d'or de quatre mètres d'épaisseur.

Comment un tel prodige mathématique est-il possible ? Observons la courbe de la croissance du nénuphar. Elle est caractéristique de toute croissance exponentielle : pendant longtemps, cette courbe se traîne au ras de zéro. En effet, le nénuphar a beau doubler chaque jour, cela reste invisible, car ce doublement porte sur des valeurs tellement faibles qu'elles restent invisibles à l'œil nu (au vingtième jour, par exemple, il ne recouvre encore qu'à peine un millième de l'étang). Ce n'est que lorsque les valeurs ont fini par grandir suffisamment pour se montrer un peu, vers le 25, que tout explose, et que la courbe commence à grimper de manière de plus en plus vertigineuse.

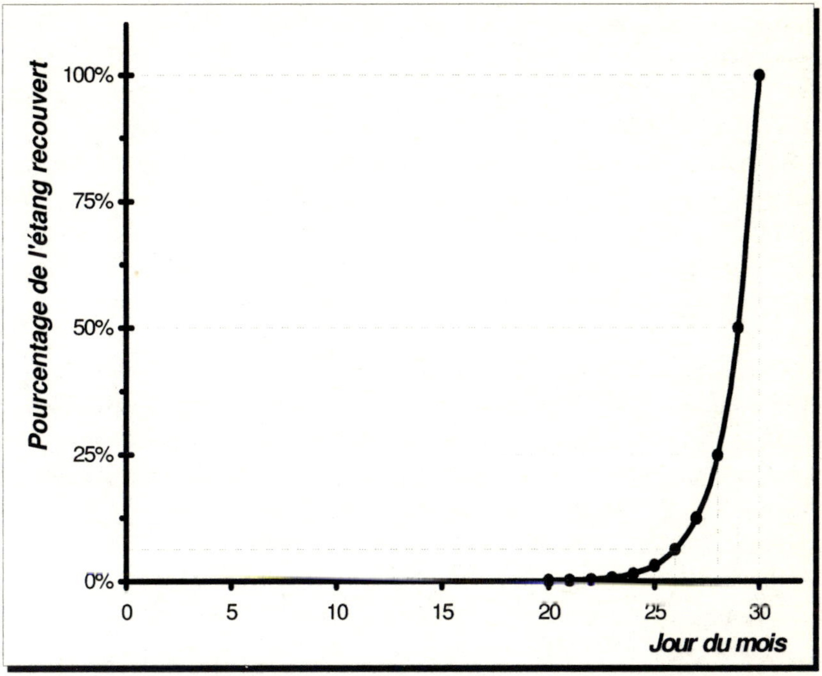

Pour toute croissance exponentielle, la courbe se comporte ainsi : après une période de latence plus ou moins longue selon la valeur de départ et le taux d'accroissement, on assiste à cette explosion. La difficulté d'une prise de conscience claire des limites physiques de la planète tient à ce caractère de la croissance exponentielle, à ce long temps de latence où rien ne se montre, comme pendant l'incubation d'une maladie. Si le nénuphar étouffe l'étang en trente jours, le 29^{éme} jour, il ne recouvre que la moitié ; la veille, le quart... ; le 25^{éme} jour, 1/32^{éme}, c'est-à-dire 3,125% seulement. Oui, à cinq jours de l'échéance, il n'y a que 3% de contaminé, presque rien.

Que nous soyons le 25 ou le 27, il est donc facile de voir que la coupe est loin d'être pleine. Pourtant, alors qu'on ne voit pas clairement le danger, il ne reste au mieux que trois ou quatre jours pour réagir. Aujourd'hui, où en sommes nous de ce calendrier ?

Alors, pourquoi les Trente Glorieuses ne pouvaient-elles se prolonger mille ans, avec leur croissance à 7% ? Poser la question, c'est y répondre..

Pourtant, malgré l'évidence de la réponse à cette question, notre société est en adoration devant la croissance économique. Après nos Trente Glorieuses, et avant la crise qui les a frappés dans les dernières années du siècle, certains dragons asiatiques ont connu pendant quelques années des taux dépassant les 10%. Et dans de telles euphories, chacun de souhaiter : pourvu que cela dure. L'histoire du nénuphar devrait inviter à plus de circonspection, et peut-être à dire : faisons en sorte que cela ne dure pas trop longtemps. Ou plutôt : combien de temps cela peut-il durer ? Et surtout : où faut-il faire porter cette croissance, pendant un temps, parce que les besoins sont si criants ? Et au contraire, où est-il urgent de programmer la stabilisation, voire un certain repli, justement pour permettre la croissance là où elle est nécessaire ?

Croissance zéro ?

Alors que les Trente Glorieuses n'étaient pas encore mortes, certains avaient osé commettre un crime de lèse-majesté en mettant en doute la bienveillance de la déesse croissance. C'était en 1972. N'est-ce pas ce sacrilège qui a fâché pour de bon la bien-aimée, puisque, dès l'année suivante, le premier choc pétrolier sonnait le départ de ce que depuis on a appelé la crise ? En 1972, donc, le Français René Dubos fait paraître un ouvrage intitulé *Nous n'avons qu'une seule Terre.* Avec quelques autres illuminés, il est à l'origine de la Conférence de Stockholm, ancêtre de celles de Rio, de Kyoto et de Johannesburg. En 1972 encore, le Club de Rome publie un rapport explosif, réalisé par le Massachusetts Institute of Technology. Que dit ce rapport, élaboré dans le saint des saints de l'Occident triomphant qu'est le M.I.T., et publié en français sous le titre *Halte à la croissance* ? En bref, il énonce l'effet nénuphar, et invite les nations riches à se diriger volontairement vers la "croissance zéro". Le M.I.T. avait en effet calculé que, selon les prévisions de consommation, les réserves de cuivre, de nickel ou de zinc seraient épuisées dans tant d'années, celles de charbon, de gaz, et surtout de pétrole, dans tant d'années...

Les calculs se sont rapidement révélés faux : d'autres réserves ont été découvertes, notamment pour le pétrole, et la croissance, justement s'est quelque peu ralentie. Les échéances sont donc reculées. Reculées mais pas abolies. D'autant plus que d'autres problèmes alors inconnus mais tout aussi graves se sont révélés, comme le réchauffement par l'effet de serre ou la présence de ce trou dans la couche d'ozone ; et d'autres problèmes encore ignorés aujourd'hui peuvent apparaître demain. Quoi qu'il en soit, le sens global demeure : l'effet nénuphar existe et fait courir de gros risques à l'humanité. Peu importe à quel niveau se trouve le plafond du possible : à partir du moment où la croissance exponentielle s'emballe (et elle ne peut que s'emballer, on l'a vu), elle va pulvériser ce plafond, fut-il dix fois ou cent fois plus élevé que les prévisions. En effet, après un siècle de croissance à 4,7%, ou deux siècles à 2,3% (ce qui est considéré comme une croissance faible), nous consommerons chaque année cent fois plus que maintenant.

On peut jouir d'un tempérament optimiste, et se dire que la Terre n'est pas si petite, finalement, et qu'elle maintient à notre disposition beaucoup de ressources ignorées, que nous apprendrons à exploiter en fonction de nos besoins. Bref, que nous n'avons pas vraiment fait le tour de notre étang. Peut-être. Mais quand bien même celui-ci prendrait miraculeusement les dimensions du lac de Genève ou du lac Baïkal, notre nénuphar le remplirait tout aussi sûrement, en raison de ce qui vient d'être dit. Serait-il même mille fois plus grand que prévu, le nénuphar l'étoufferait ; seulement, au lieu de trente jours, il lui en faudrait quarante.

Croissance nécessaire.

S'il était explosif, voire scandaleux, d'oser parler de choix volontaire de croissance zéro en 1972, en pleine période de prospérité, il est devenu carrément grossier de le faire à une époque où le tassement subi et non pas choisi de la croissance fait penser, contrairement à la réalité objective d'ailleurs, que la prospérité est moindre. Et dans les brèves périodes d'euphorie qui apparaissent parfois, comment peut-on avoir l'impudence de jouer les rabat-joie et de poser des questions susceptibles de doucher ce bel enthousiasme ? Ce n'est jamais le bon moment !

Depuis trente ans, qu'avons-nous connu ? Cette bonne vieille croissance exponentielle, cette déesse pourvoyeuse de tous bienfaits, rechigne désormais à prodiguer ses largesses à l'Occident : 2% telle année, 3% au mieux, 1% parfois. Une misère ! La crise ! Une crise de 30 ans. Et tout le monde de se lamenter sur l'âge d'or perdu. Avec une foi solide dans la puissance de leurs incantations, tous les chamans de la politique, accompagnés de la presque totalité de ceux qui font l'opinion, journalistes et intellectuels, reprennent inlassablement cet hymne, cette invocation à la croissance : la croissance repart, c'est formidable ; la croissance est malade, c'est catastrophique ; l'euro va doper la croissance... Ils nous promettent pour bientôt le retour définitif de la pluie, pardon, de la croissance. Ce sera pour l'année prochaine. Ce sera la solution. Il n'y a pas d'autre solution. Il faut donc y croire, car ne pas y croire serait s'avouer battu, maudit. Donc, on y croit très fort, on verra le bout du tunnel.

Et en 2000 justement, promis-juré, on y est : la croissance a chassé la crise. Vive la croissance ! En 2001, en 2002, hélas, c'est à nouveau la désolation. Mais reprenons : on y croit encore, et au troisième trimestre 2003, on verra le bout du...

La croissance a en effet bien des attraits. Le premier concerne bien évidemment le chômage. Les économistes nous expliquent depuis longtemps qu'une croissance annuelle de 2,7% environ compense les gains de productivité. Donc, si on ne change rien par ailleurs, en dessous de ce taux, le chômage augmente mécaniquement ; au-delà, il diminue. Et comme on ne sait pas faire grand-chose par ailleurs, que le partage du travail, par exemple, a tellement de mal à rentrer dans les mœurs, que les 35 heures patinent...

Aussi évident que son impact direct sur l'emploi est l'influence considérable de la croissance sur le moral de la société. Même sans être trop bien répartie, elle donne un peu plus à chacun, chaque année.

Tout semble donc aller un peu mieux ; l'espoir se maintient ou renaît, alors que dans la stabilité, ou dans une faible croissance, certains fatalement perdent quelques plumes, et ce n'est jamais agréable. Et même si on est légèrement gagnant, les gains objectifs sont inférieurs à ce qu'on pourrait appeler la "croissance du désir" : ce qui hier me paraissait inaccessible, je le veux pour aujourd'hui, à la rigueur pour demain ou pour mes enfants ; si je ne l'obtiens pas, je suis frustré, alors même que je m'en suis passé sans problème jusqu'alors.

Le phénomène d'accoutumance correspond à une loi biologique : la réaction d'un organisme vivant est moins que proportionnelle au stimulus. Par exemple, si on injecte à un être vivant deux milligrammes d'un produit actif (médicament, drogue), le retentissement ne sera pas deux fois plus fort qu'avec une injection d'un seul milligramme. Pour augmenter un peu la sensation ou l'effet, et même pour les maintenir en cas d'usage continu, il faut augmenter beaucoup la dose. La loi de Weber et Fechner précise ce phénomène : supposons qu'une dose de 100 (dose d'antalgique, de somnifère, puissance de bruit, ...) provoque une certaine sensation, et que pour ressentir une augmentation de cet effet, il faille passer à une dose de 120 ; alors, celui qui reçoit une dose de 1000 devra passer à 1200 pour ressentir la même augmentation d'effet. Plus on a, plus il en faut pour sentir un plus. L'homme traduit volontiers cette loi : il faut du piment à la vie, que celui-ci soit sain ou frelaté. Ce qui m'a comblé pendant un temps, entre autre par sa nouveauté, me laisse en attente d'un plus, dès que l'habitude l'a banalisé : repu de pain, j'ai envie de brioche. Plus je suis riche, plus j'exige une augmentation forte pour avoir le sentiment de ne pas m'appauvrir. Les augmentations de salaires ne se font-elles pas le plus souvent en pourcentage ?

Une croissance faible affecte donc le moral de la population, qui, déçue, a l'impression de s'appauvrir, l'impression que tout va de plus en plus mal. C'est ce qui est vécu avec plus ou moins d'intensité depuis bientôt trente ans : sur cette période, le niveau de vie moyen des français, et des occidentaux en général, s'est considérablement accru (même si une frange de la population est restée en marge de ce mouvement), mais cet accroissement n'est guère ressenti comme tel.

Derrière cette recherche de "plus" et la frustration à ne pas l'obtenir se cache aussi le besoin de reconnaissance sociale. En accédant à un autre type de consommation, on espère progresser socialement, changer de condition. Le complexe de Monsieur Jourdain fait des ravages. Pour le Bourgeois Gentilhomme de Molière, peu importe finalement ce qu'il possède et ce qu'il mange, comment il s'habille et se distrait ; cela n'a d'importance qu'en référence aux obligations supposées d'une "personne de qualité". Alors, comment s'élever quelque peu au-dessus du commun grâce à cette touche qui fera chic et non pas toc ; comment tout au moins ne pas déroger ? Loisirs, art moderne, culture, voilà des affaires sérieuses ; elles n'admettent aucun relâchement dans la recherche de ce subtil équilibre entre le conformisme nécessaire pour s'intégrer dans son milieu et la note de distinction qui permettra peut-être de s'en élever. Le bon goût avec parfois une once de provocation. Dans cet état d'esprit, les débats sur les crus de Bourgogne sont de la plus haute importance, la compétence affichée pour la gastronomie est un élément essentiel de la reconnaissance sociale. Summum de la civilisation ou prémisses de la décadence ?

Les exigences de ce snobisme gonflent énormément la baudruche de nos besoins. Et la nécessité de courir éternellement après la dernière tendance instille jour après jour sa dose de stress. Il faut de l'énergie pour suivre avec assez d'attention les règles de son milieu et celle du milieu qu'on voudrait intégrer. Il faut de l'énergie pour tenir la comparaison avec ses pairs. Dans *L'Art du Bonheur*, Howard Cutler, qui a recueilli les propos du Dalaï-Lama, rappelle une définition corrosive de l'homme fortuné : *c'est celui dont le revenu est de six cents francs plus élevé que celui du mari de la sœur de sa femme.*[2] Il est hélas plus vrai encore que l'homme pauvre, c'est celui qui gagne cent euros de moins que son beau-frère, ou que son collègue de travail, ou que son voisin.

On mesure désormais le "moral des ménages" en fonction de leur degré de consommation : si la consommation augmente, c'est que le moral est au beau fixe, si elle diminue, c'est signe d'inquiétude et d'insatisfaction. Naïvement, on pourrait penser que si on consomme moins, c'est peut-être tout bêtement parce qu'on est content de son

---

[2] S.S. le Dalaï-Lama et H. Cutler, *l'Art du Bonheur* (Robert Laffont).

sort, que rien ne manque. Mais non, c'est tout faux ! Etre bien, c'est manger plus que de raison, c'est accumuler, jeter, renouveler…

La morale de cette morale, c'est que la non-croissance, ou la faible croissance, est source de mécontentement et de grogne. Le climat social devient explosif. C'est le repli sur soi de tous les intérêts catégoriels. Et c'est bien sûr pain béni pour tous les démagogues et tous les populistes, prêts à brandir une explication simple et un remède immédiat : selon les époques, c'est la faute aux juifs ou aux francs-maçons, aux étrangers ou aux fonctionnaires, et toujours à la démocratie. Les gouvernants sont prêts à tout pour éviter cette situation, d'autant plus qu'alors, la morosité de la population va de pair avec la quasi-impossibilité d'établir un budget satisfaisant. Les rentrées fiscales étant stables, s'il faut privilégier un secteur jugé prioritaire, ce ne peut être qu'au détriment d'un autre secteur. Cela conduit facilement à l'immobilisme politique, car tout choix politique devient douloureux : pour habiller Pierre, il n'y a pas d'autre solution que de déshabiller Paul. Et Paul sera rarement d'accord... En revanche, dès que la croissance revient, les problèmes budgétaires sont résolus comme par miracle ; il arrive même que le gouvernement découvre soudain une "cagnotte" providentielle…

Par quelque bout qu'on prenne le problème, celui de la prospérité effective (activité, emploi, fiscalité...), celui de l'impression de prospérité, ou la nécessité de préserver la paix sociale, on arrive facilement à la même conclusion : il faut tout faire pour maintenir et favoriser la croissance. Et parmi les décideurs, personne ne dit autre chose, car les raisons sont imparables. Sauf que...

Sauf que c'est tout bonnement impossible. Au risque de radoter, il faut redire cette impossibilité d'un croissance infinie, et donc cette nécessité absolue d'inventer un moteur nouveau pour la bonne marche du monde.

Quelle croissance pour quel monde ?

Il n'est donc pas simple d'envisager de renoncer à l'euphorisant de la croissance, mais il faut tout d'abord préciser de quoi on parle. Sous ce terme magique de croissance, on met en effet des choses bien différentes ; la croissance est celle du P.I.B., qui lui-même est une grandeur fourre-tout, composée de biens et de services monnayables. Et pour produire ces biens et ces services, on utilise des ressources humaines (le travail, l'intelligence, la créativité) ainsi que des ressources matérielles. Parmi ces dernières (les sources d'énergie, les minerais, l'eau, l'air, les terres cultivables, mais aussi les capacités de la nature à absorber et digérer sans dommage les agressions et pollutions diverses...), on peut distinguer les ressources qui sont renouvelables dans une certaine mesure, et celles qui ne le sont pas.

Dans le premier groupe prennent place par exemple les produits de l'agriculture, de l'élevage et de la pêche, mais aussi l'air pur et les eaux potables de surface ainsi que l'énergie fournie par le bois, le soleil, le vent, les cours d'eau, les marées. Dans le deuxième groupe se situent tous ces stocks amassés par la nature pendant les milliards d'années : les minerais, le pétrole, le gaz et le charbon bien sûr, mais aussi les eaux des nappes fossiles et les terres cultivables, devenues telles grâce à l'action de la nature et aux soins prolongés des hommes. C'est pour cette dernière catégorie, celle des ressources non renouvelables, qu'il est impératif et urgent de viser non seulement la croissance zéro, mais bien une décroissance de la consommation. Rien n'empêche en revanche la croissance harmonieuse de la consommation des ressources renouvelables, qu'elles soient matérielles ou humaines. Pour ce qui concerne les ressources matérielles, une croissance harmonieuse est une croissance respectueuse du rythme de renouvellement (ce n'est pas le cas par exemple pour la pêche, actuellement, ni pour l'eau bien souvent). Pour ce qui concerne l'utilisation des ressources humaines, elle ne peut être considérée comme harmonieuse en-dehors du respects des droits de l'homme, que ce soit dans son travail ou dans toute sa vie.

L'expression *croissance zéro* fait figure d'épouvantail. Elle renferme une connotation négative de stagnation ou d'immobilisme. On la regarde comme une menace sur notre bien-être. Mais on peut tout aussi bien y voir une lutte contre la mauvaise qualité de notre vie. Il faut casser le fétichisme du PIB. Pour faire croître ce PIB, que faut-il donc ? Pousser à fond le chauffage au point de devoir ouvrir les fenêtres pour se rafraîchir ? Multiplier les transports inutiles, emporter des bouteilles d'eau de source des Alpes vers le Poitou, importer des porcs danois vers la Bretagne, et des porcs bretons vers l'Allemagne ? Augmenter la consommation d'antidépresseurs, favoriser les accidents, les attentats et le vandalisme ? Après tout, le naufrage de l'Erika et l'accident du tunnel du Mont Blanc sont des facteurs de croissance : il faut dépolluer les plages, il faut réparer les dégâts. Dans la même optique, on pourrait aussi bétonner les Gorges du Tarn ou le Cap Fréhel pour y implanter des hôtels. On peut aussi faire des choix différents : renforcer l'isolation pour économiser l'énergie, embaucher du personnel soignant dans les hôpitaux qui en manquent, construire une station d'épuration plus efficace pour une ville ou une usine mal équipée. On peut embaucher pour débroussailler la garrigue et prévenir ainsi les incendies, ou pour assurer un service de ménage à destination des personnes âgées. Ce ne sont pas les mêmes budgets ? C'est vrai, mais à travers ces exemples, on peut voir combien est ambiguë cette notion de croissance. Selon différents choix, l'effet sur le PIB peut être comparable ; l'effet sur le chômage, sur la santé de la Terre et sur le bien-être général peut être en revanche fort différent. Dans mon enfance, j'entendais dire ironiquement, à propos de travaux inutiles et de gaspillages, à propos des maladroits qui cassaient trop souvent les choses : "ça fait marcher le commerce !" Aujourd'hui, on dit un peu la même chose : "c'est bon pour le PIB, c'est bon pour la croissance". Seulement, l'ironie a disparu.

Ce qui devient crucial, c'est de se diriger vers la croissance zéro et même vers une rapide décroissance de l'exploitation des *ressources limitées* et des *consommations inutiles*. Le problème n'est évidemment pas le même pour les ressources humaines. Dans un monde marqué à la fois par le chômage et par le surmenage d'une forte partie de la population, il reste beaucoup de choses à améliorer avant d'atteindre une gestion optimale du travail et de l'intelligence de l'homme.

Venons en au lien entre la croissance de notre consommation de biens non renouvelables et l'évolution des conditions des pays pauvres. Tout en sachant que la réponse à lui apporter est extrêmement complexe, on ne peut écarter la question suivante : si nous acceptons l'idée que la Terre est limitée, que la croissance ne peut donc être infinie, qu'allons nous faire des marges de croissance qui restent dans certains domaines ? Allons-nous les garder pour nous, les pays riches, et pour quelques autres parmi les plus dynamiques, quelques "dragons asiatiques" par exemple ? Allons-nous les garder pour nous et les interdire de fait aux laissés-pour-compte d'Afrique, d'Amérique latine et de la plus grande partie de l'Asie ? (Cette question aurait dû être centrale à la Conférence de Johannesburg, qui avait pour ambition de débattre du développement durable. On ne peut hélas pas dire ce fut sérieusement le cas.)

Allons-nous défendre bec et ongles ce niveau de vie auquel nous tenons à juste titre, que nous jugeons nécessaire à notre épanouissement et à notre bonheur, allons nous défendre le droit de l'accroître encore, sachant que cela revient de fait à tout faire pour que les plus pauvres ne s'en approchent pas ? Nous sommes devant un choix. Ce niveau de vie qui est celui d'un gros milliard d'humains, habitant ce que nous nommons le monde "occidental", pouvons-nous affirmer en toute sincérité qu'il peut et doit encore progresser et en même temps qu'il est généralisable, moyennement quelques avancées techniques, à 6 milliards d'hommes, à 9 ou 10 milliards sans doute un jour ?

Au fond de nous, souhaitons-nous vraiment que demain, Chinois et Indiens, Rwandais et Zaïrois, Péruviens et Haïtiens vivent comme nous vivons ou comme nous souhaiterions peut-être vivre, c'est-à-dire avec une ou deux voitures par famille, avec un réseau serré d'autoroutes et d'aéroports internationaux, et vacances au bout du monde, avec maison surchauffée en hiver ou/et climatisation forcenée dans chaque logement, avec tout l'électroménager vorace en énergie, avec deux repas de viande chaque jour et aliments dûment emballés, réfrigérés et congelés, peut-être importés des antipodes, avec poubelles débordantes, avec golf bien arrosé et piscine bien chauffée, avec... ? Le souhaitons-nous vraiment, en connaissance de cause, sans faux-semblant, sans crainte que ce soit impossible, sans crainte qu'une telle concurrence sur les approvisionnements en énergie et en matières premières, en eau, en denrées alimentaires ne provoque de fait une pénurie dont nous ne sortirions pas indemnes ; sans soucis au sujet de l'impact d'une multiplication par 6 ou 7 de la circulation automobile et aéronautique sur la qualité de l'air et sur l'évolution du climat, sur la stérilisation des sols fertiles entourant les villes par le bitume des autoroutes, des parkings et des aéroports ; sans inquiétude quant à l'accumulation des déchets dus aux emballages et à l'abandon des produits démodés ?

Ce n'est pas une question en l'air, si l'on peut dire. Depuis une dizaine d'années, les scientifiques s'inquiètent du nuage de pollution qui s'agrandit au-dessus de l'Océan Indien. Epais de deux à trois kilomètres, grand comme l'Europe, ce nuage porteur de suie, d'oxyde de carbone et d'anhydride sulfurique est dû principalement au développement industriel anarchique de l'Inde. Lorsqu'une population d'un milliard d'individus, c'est-à-dire du même ordre que celle de nos "vieux" pays industrialisés, vit avec un taux de croissance économique de 5 ou 6%, découvre les concentrations d'usines, les joies de la voiture individuelle (même réservée à une frange de quelques pour cent de privilégiés) et les embouteillages monstrueux qui en résultent, ce n'est pas sans conséquences. La Chine avec presque son milliard et demi suit le même chemin, ce chemin qui a été le nôtre depuis cent cinquante ans. En 1998, tout le nord-ouest de ce pays a dû faire face à une grave pénurie en eau. Les sinologues s'accordent pour dire que cette pénurie n'est pas seulement due à la sécheresse, mais bien plus à des facteurs humains : la population s'est beaucoup accrue, et plus encore, les modes de vie ont changé. Les logements sont désormais équipés de salles de bains, de toilettes avec chasse d'eau, de lave-linge, équipements tous gros consommateurs d'eau ; de plus, le modèle américain a fait se développer énormément la consommation de viande bovine, ce qui a nécessité l'intensification de l'agriculture et de l'élevage, notamment par l'irrigation. Et ce n'est qu'un début. L'exode rural qui fait rage va s'amplifier : le président chinois prévoit qu'avec les contraintes économiques résultant de l'adhésion de la Chine à l'OMC, ce sont 500 millions de chinois qui devront quitter la terre dans les quinze années à venir, 500 millions dont le mode de vie va changer radicalement.

Ces références à l'Inde et à la Chine ne sont pas placées là pour tenter de dénier à ces pays le droit à une évolution nécessaire, bien au contraire. Si chacun de nous a droit à sa voiture, pourquoi chaque paysan chinois ne pourrait-il rêver du même droit ? Ces références donnent seulement l'occasion de noter que le développement, lorsqu'il se réalise comme c'est le cas selon le modèle occidental exclusivement, conduit à des conséquences qu'on ne peut se permettre d'ignorer. Imagine-t-on quel pourcentage de la surface de leurs deltas surpeuplés les asiatiques devraient consacrer à leurs autoroutes et à leurs parkings pour atteindre notre taux d'équipement automobile ? Resterait-il un petit coin cultivable entre les échangeurs ? Allons-nous nous rassurer en décrétant que la pollution des autres ne nous concerne pas, qu'elle s'arrête à nos frontières, maintenant que nous imposons à nos industries et à notre agriculture des normes antipollution plus strictes ? Allons-nous faire semblant d'ignorer que les ressources que commence à utiliser le reste du monde proviennent des mêmes réserves ? Et si nous n'avons pas d'autres perspectives que la continuation sur notre lancée, avec la foi dans le fait que notre technologie peut dépolluer ce qu'elle a pollué, qu'elle peut suppléer à ce qu'elle a pillé, de quel droit pourrions-nous interdire à d'autres de suivre notre exemple également dans ses côtés les plus néfastes ?

Comment réagirons-nous demain, quand les problèmes sérieux auront commencé à se révéler de manière indubitable pour tous, quand nous serons bien convaincus que le réchauffement est vraiment en train de chambouler les climats et de faire monter le niveau des océans, quand la pression sur le pétrole, le gaz et les minerais rares se fera à nouveau très forte, beaucoup plus forte que par le passé, quand les approvisionnements en eau douce commenceront à poser des problèmes aigus, à provoquer des tensions internationales, des guerres peut-être, quand des conflits éclateront autour des quelques ressources de pêche épargnées ? Réagirons-nous en disant que les pays du Sud ont trop d'enfants et qu'il faut les stériliser de force ? Que leurs rizières dégagent trop de méthane et accentuent donc l'effet de serre ? Que les métropoles tentaculaires de Mexico, de Rio et du Caire doivent être nettoyées de leurs habitants ? En viendrons-nous, deux cents ans après le slogan répété par un général américain, "un bon indien est un indien mort" à appliquer celui-ci aux indiens de l'Inde ? La prairie n'était pas assez vaste pour les Sioux et les familles de pionniers. La Terre sera-t-elle trop exiguë pour tous ? Tout dépend de nos choix, et donc du regard que nous portons sur ces problèmes de croissance et de développement.

- *Nous pouvons considérer notre mode de vie occidental, avec les tendances de son évolution, comme* **nécessaire** *à l'épanouissement humain. Nous pouvons compléter cette prise de position idéologique ou philosophique par une opinion d'ordre scientifique en pensant, après avoir vraiment réfléchi à la question, qu'il est* **généralisable** *à l'ensemble de l'humanité. Dans ce cas, pas de problème, continuons ainsi. Corrigeons les erreurs minimes, améliorons ce qui a besoin de l'être. Et surtout, si nous voulons être quelque peu cohérents avec nos proclamations sur la dignité, l'égalité et les droits de l'homme, mettons tout en œuvre pour hâter l'accession de tous à ce mode de vie, pour que tous puissent s'épanouir vraiment. Faisons en sorte que le développement de tous les pays puisse se réaliser rapidement selon le modèle occidental, et que les poches de misère qui subsistent chez nous disparaissent rapidement.*

- *Ou bien nous considérons toujours ce standard de vie et son évolution comme* **nécessaires** *à l'épanouissement, mais en admettant, grâce à une approche scientifique, qu*'**il est illusoire de vouloir le généraliser à toute l'humanité, et peut-être même de le faire durer très longtemps.** *C'est donc à condition de savoir limiter sérieusement la concurrence des plus pauvres et rester entre gens de bonne compagnie que nous autres occidentaux pouvons être tranquilles pour quelques décennies, peut-être pour toute notre vie. Après, ma foi....Quant à ceux qui sont tombés du train de la prospérité et à ceux qui n'ont jamais pu y monter, ce n'est pas notre problème. Chacun pour soi, après tout. C'est du pragmatisme. La Déclaration Universelle des Droits de l'Homme, c'était un truc de rêveurs. Il est en effet impossible dans ce cas de prétendre que les hommes naissent libres et égaux en droit ; ils se séparent non seulement en fait, mais aussi par principe, en deux catégories : d'une part les privilégiés dont nous sommes, intelligents, efficaces, entreprenants, qui peuvent accéder au bonheur ; de l'autre, les éternels damnés de la Terre. Asseyons-nous sur notre conscience, bannissons tout humanisme, remplaçons-le par un solide réalisme, et vogue la galère ! On* *peut aussi tout simplement se désintéresser de ces questions, de peur qu'elles dérangent, et cela revient un peu au même…*

- *Si ce mode de vie qui est le nôtre* **ne peut perdurer indéfiniment, et encore moins se généraliser**, *la seule réaction pour celui qui n'a envie ni de rejoindre les quatre cinquièmes de l'humanité dans une situation qui serait sans espoir, ni de venir grossir le camp du racisme de fait et du bon gros cynisme, consiste* **à se mettre à la recherche d'un mode de vie différent**, *à la fois porteur d'épanouissement et accessible dans la diversité à toute l'humanité.*

INVENTER DEMAIN

Et je te donnerai
Un frigidaire
Un joli scooter
Un atomixer
Une tourniquette
Pour faire la vinaigrette
Un bel aérateur
Pour bouffer les odeurs
Des draps qui chauffent
Un pistolet à gaufres...

Boris Vian.

Depuis le rapport du Club de Rome et la Conférence de Stockholm en 72, depuis les deux chocs pétroliers, depuis le Sommet de la Terre à Rio en 92, les mentalités ont évolué. Les populations commencent à prendre conscience du fait que les questions écologiques concernent tout le monde, et non plus seulement quelques farfelus. Techniquement, les problèmes sont encore souvent bien mal connus ; par exemple, on confond encore facilement le problème de l'effet de serre et celui du trou dans la couche d'ozone, du fait que les gaz responsables de ces deux phénomènes sont en partie les mêmes. Mais en tous cas, beaucoup savent maintenant que l'augmentation des émissions de gaz carbonique devient sérieusement préoccupante. Se mêlent à cela les inquiétudes devant les approvisionnements en eau potable, la pollution de l'air, la gestion des déchets, la raréfaction du poisson dans les océans, la destruction de la forêt équatoriale, la menace sur beaucoup d'espèces vivantes, la qualité de la nourriture... Et, pour ceux qui s'en préoccupent, le problème du développement des pays pauvres.

Alors, comment réduire ces émissions de gaz carbonique, et autres gaz à effet de serre, pour reprendre cette seule question ? A entendre les commentaires sur le sujet, tant dans les médias que dans notre entourage, la réponse semble au premier regard claire et double :

les *autres* doivent réduire leurs émissions ; et les *pouvoirs publics*, les *gouvernements*, doivent s'en charger. Après la conférence de Kyoto, beaucoup de regrets s'étaient exprimés sur la frilosité (c'est le cas de le dire) des mesures décidées : 8% de baisse par-ci, 7% par-là, et si peu en tous cas à attendre des Américains. Et tout cela à échéance d'une quinzaine d'années. Autant dire rien. Et même ce rien n'a pas pu être entériné à la conférence de La Haye, à l'automne 2000. Pourtant, pour arrêter la progression de l'effet de serre, c'est-à-dire pour stabiliser la teneur en gaz carbonique dans l'atmosphère, il faut en diviser les émissions mondiales par deux ou trois. Et si l'on estime que chaque habitant de la planète a le même "droit au CO_2", les Chinois et les Indiens peuvent rester au même niveau d'émission, les Maliens et les Bangladeshis peuvent l'augmenter, mais il faut que nous, français, nous divisions nos émissions par quatre ou cinq, et les américains par dix. C'est dire si ce pauvre protocole de Kyoto est loin du compte : même s'ils étaient vraiment appliqués, les remèdes proposés sont sans rapport avec l'ampleur du problème. En fait, Kyoto n'a pas grande signification au plan scientifique, c'est tout juste un minuscule premier pas politique.

Le manque d'empressement des gouvernants à prendre les choses en mains est parfaitement évident. Il n'empêche que la réponse n'est pas toute à attendre des pouvoirs publics. Ce ne sont pas en effet les gouvernements qui rejettent ces gaz, mais les populations, particuliers et entreprises. Les décisions à prendre toucheront donc chacun de nous. Aussi, à supposer que les gouvernants aient pris à Kyoto et à La Haye des décisions énergiques, comment auraient réagi les opinions publiques ?

Les gouvernements ne sont pas sans moyens. Sans avoir besoin de mettre en place un KGB de l'effet de serre, ils disposent de l'arsenal habituel de l'action politique, dont principalement la réglementation, la fiscalité et les subventions, pour encourager la recherche, et promouvoir un mode de consommation d'énergie radicalement différent, tant pour les entreprises que pour les particuliers. Mais, à défaut d'être poussés par leurs opinions publiques à prendre de telles décisions, ils ont au moins besoin d'un certain consensus. Le problème est que ce genre d'action se situe nécessairement dans le très long terme, ce qui n'est pas conforme à l'échelle du temps des élus en démocratie. Et en démocratie, les politiques sont élus pour faire ce que demandent les électeurs. Peut-on affirmer qu'au fond d'eux-mêmes, les électeurs ont envie de voir la mise en œuvre de quelque chose de vraiment significatif dans ce sens ? Nous avons les démagogues que nous méritons. Au début de la seconde guerre mondiale, Winston Churchill refusait la démagogie en promettant aux britanniques "de la sueur, du sang et des larmes". Ce n'était bien sûr pas un but en soi, mais ce qu'il voyait comme un passage obligé pour résister à la barbarie nazie et préserver la liberté ; se coucher devant Hitler, c'eût été de toute manière rencontrer un jour ou l'autre le sang et les larmes de l'oppression. Nous n'en sommes pas du tout là. Ni sang ni larmes, mais simplement un arrêt de la course aux privilèges. Nous avons des choses à perdre assurément, des commodités superficielles, des conforts et des habitudes. C'est très désagréable de reprendre contact avec la réalité d'un monde fini. Les changements à attendre dans le mode de vie, de production, de pensée même, sont tels qu'une opposition massive est plus que probable. Aujourd'hui, tout le monde se déclare volontiers favorable à la préservation de l'environnement. En principe. Les choses se gâtent lorsqu'on rentre dans le concret. Les troubles du mois de septembre 2000, suite à la montée du prix des carburants, sont assez éclairants quant au degré de résistance que pourrait provoquer la mise en œuvre des mesures nécessaires. Une chose est de réclamer de loin des décisions, autre chose est d'accepter les bouleversements de nos habitudes qu'amèneraient concrètement ces décisions. Le fiasco de la conférence de La Haye a montré, s'il en était besoin, que la priorité n'est pas encore aux choix difficiles ; gouvernants et gouvernés sont assez d'accord : il est urgent d'attendre.

Pourtant nous avons aussi beaucoup à gagner : un avenir possible dans la solidarité pour l'humanité entière, et la préservation et le développement des acquis essentiels. De toute manière, si nous refusons les choix nécessaires, nous finirons par tout perdre, un peu plus tard peut-être, mais de manière certaine.

Pour mettre en place des modifications de comportement, il est nécessaire que s'établisse un profond changement de mentalité par rapport à l'utilisation des ressources naturelles. L'immensité de la Terre a pu laisser croire qu'elles étaient inépuisables, ou tout au moins que si un filon s'épuisait là, on en trouverait toujours un autre ailleurs.

Cette mentalité de nomadisme et de cueillette doit faire place à une culture sédentaire, car l'espace est clos désormais, et la Terre est peuplée. Etant six milliards, nous ne pouvons imposer au milieu le même niveau de perturbation que si nous étions six millions. Il faut admettre que les ressources limitées de la planète font partie du patrimoine de l'humanité, et n'appartiennent pas seulement à 20% de la population vivant entre 1950 et 2050. On ne tolérerait pas qu'un magnat texan du pétrole démonte la Sainte-Chapelle pierre par pierre pour la rebâtir dans son ranch ; de même, si les pilleurs des temples d'Angkor ou des tombeaux égyptiens sont justement considérés comme des pilleurs, c'est que ces témoignages du passé font partie du patrimoine commun. Pourquoi n'en est-il pas de même des ressources de la Terre, bien commun de l'humanité indispensable à sa survie ?

Les ressources terrestres se ramassent à la pelle.

Notre façon de gérer les ressources naturelles reste très voisine de celle de nos ancêtres du paléolithique, avant l'invention de l'agriculture, de l'élevage et de la sédentarité. A cette époque de chasse et de cueillette, lorsque les ressources locales s'épuisaient, la tribu pouvait se déplacer vers des contrées encore vierges. Aujourd'hui aussi, nous exploitons les ressources jusqu'à leur épuisement. Seulement, la situation est très différente : à l'époque de Cro-Magnon, l'épuisement des ressources était temporaire ; après quelques années, le gibier se reconstituait, un autre groupe humain pouvait revenir. Quant à nous, nous puisons dans les nappes de pétrole jusqu'à leur épuisement. Nous pompons dans la nappe d'eau fossile pour arroser le maïs, jusqu'à la vider définitivement. Et où irons-nous chercher de nouveaux territoires ?

Nous détruisons la forêt primaire, au Canada, mais surtout en zone équatoriale et tropicale. Cette disparition des forêts a des conséquences dramatiques, en particulier dans les pays chauds où, sur ces sols fragiles, elle provoque inondations, glissements de terrain et érosion rapide et irréversible des terres. Mais les pertes pour l'ensemble de la planète ne sont pas seulement locales. Ce n'est pas tant la disparition de ce qu'on a appelé longtemps, à tort d'ailleurs, le "poumon de la planète" ; en effet, la forêt primaire inexploitée ne produit pas d'oxygène et n'épure pas le gaz carbonique, car le carbone fixé retourne à l'atmosphère lorsque la plante meurt et pourrit ; la forêt vit en quelque sorte en circuit fermé, avec un bilan nul sur ce point. En revanche, sa destruction rompt ce circuit fermé et fait apparaître un bilan lourdement négatif : si la forêt vivante n'apportait pas d'oxygène, son brûlage renvoie dans l'atmosphère tout ce stock de carbone, avec les conséquences sur l'effet de serre. Mais cette destruction amène également un appauvrissement sans précédent de la bio-diversité. En effet, les forêts primaires abritent une faune et une flore incomparablement plus variées que les zones de culture ou les forêts plantées ; par exemple, on estime qu'un seul hectare de forêt primaire tropicale abrite autant d'espèces vivantes que la France entière. En faisant partir en fumée des millions d'hectares de ces forêts primaires, on détruit par la même occasion des millions d'espèces végétales et animales, pour la plupart inconnues. L'humanité se prive ainsi de ressources dont on ne peut soupçonner aujourd'hui l'intérêt, ne connaissant même pas leur existence ; on sait cependant que ces espèces peuvent par exemple être sources de médicaments, comme cette petite grenouille arboricole d'Amazonie dont on vient de tirer un antalgique cent fois plus puissant que la morphine, ou qu'elles peuvent être sources génétiques en vue d'hybridations à venir. Et parmi les populations ainsi anéanties, se rangent les peuples premiers qui y vivaient. A Bornéo, du fait de la disparition de 80% de la forêt primaire en 20 ans, c'est plus de 80% des chasseurs sarbacaniers qui ont connu la mort ou la clochardisation sur cette période. La situation est analogue en Amazonie.

Alors, pourquoi détruire ainsi cette forêt primaire ? Dans les pays du Nord, on a beaucoup replanté, et la couverture forestière est stable, ou gagne même du terrain. L'exploitation de la forêt primaire n'est donc pas indispensable. C'est compter sans les histoires de gros sous : une plantation, cela demande du travail et de l'entretien, on peut en évaluer le coût. Une forêt primaire, c'est donné "gratuitement" par la nature, il n'y a qu'à se servir, quitte à payer quelques royalties au passage, modestes au surplus quand elles sont destinées aux pays pauvres. Et c'est là qu'on retrouve cette mentalité de cueilleurs nomades : on ramasse tout ce qu'on peut aujourd'hui, demain on verra...

Les pertes dues à la cueillette excessive ne sont pas toujours irréversibles : si nous mettons en danger les ressources de poissons des océans, nous pouvons penser que celles-ci sont capables de se renouveler, en tous cas pour les espèces qui ne seront pas totalement exterminées. Oui, mais en attendant ce renouvellement, vers quelle contrée allons-nous nous déplacer ? La Terre est maintenant remplie. C'est pourquoi il est si urgent d'abandonner cette manière préhistorique de considérer notre environnement, et d'apprendre à le gérer "en bon père de famille", comme disent les notaires, c'est-à-dire en ne prélevant que les intérêts, en se refusant de toucher au capital, afin de ne pas ruiner nos descendants. Cette vie de cueillette convenait à une population de quelques dizaines ou quelques centaines de milliers d'individus. (On estime qu'une superficie de 10 km^2 était nécessaire pour faire vivre *une* personne de la chasse et de la cueillette ; or en France, sur 10 km^2, on compte aujourd'hui plus de *mille* habitants, et encore, ce n'est pas un pays très peuplé.). C'est dire si une population tellement plus nombreuse, et incomparablement plus gourmande, ne peut se permettre indéfiniment de ramasser le pétrole comme du bois mort et les minerais rares comme des silex.

Alors, que faire ? Il n'y a pas de réponse absolue, car l'humanité a des exigences contradictoires. D'une part, chacun désire garder un environnement stable et plaisant, où il fait bon vivre. C'est ainsi que désormais, tout le monde se déclare favorable à la préservation de l'environnement. D'autre part, on exige de conserver les commodités qui conduisent fatalement à la destruction de cet environnement : une voiture pour toute personne de plus de dix-huit ans, et tutti quanti. La réponse dépend donc de nos préférences profondes entre ces exigences contradictoires. Il n'est donc pas question que quiconque impose une dictature verte, mais il est nécessaire en revanche de poser clairement les termes du choix, pour que ce choix puisse s'établir en connaissance de cause : voilà ce que vous ne pouvez pas avoir ensemble ; que préférez-vous ?

Oh bien sûr, on aimerait ne pas avoir à choisir entre le beurre et l'argent du beurre. On aimerait pouvoir s'en remettre à la recherche et à l'industrie pour leur demander de mettre au point des moyens de faire des économies de ressources, grâce à des moteurs moins gourmands, des isolants plus efficaces pour les logements, des matériaux meilleurs, moins polluants et plus facilement recyclables. On aimerait que la recherche découvre cette fameuse énergie inépuisable et non polluante dont nous pourrions user à jamais, sans mesure et sans remords. On aimerait croire à la science-fiction comme on a cru au Père Noël. On aimerait que les changements nécessaires puissent se faire sans douleur, sans réduire notre niveau de confort, ni même notre désir d'élever encore ce niveau. La présidente de la Mission Interministérielle pour l'Effet de Serre ne croit pas à cette solution indolore : *"Il y aura une période au cours de laquelle les techniques disponibles ne suffiront pas à résoudre le problème qui nous est posé par la physico-chimie planétaires. Il faudra alors considérer pour un temps que certains comportements ne sont plus possibles."*

Il faut choisir, on n'en sort pas ! Peut-être ne saura-t-on pas prendre les mesures draconiennes qui scientifiquement s'imposeraient. Pour rester dans le domaine du changement climatique, probablement ne saurons-nous pas, nous européens, choisir de diviser par quatre ou cinq nos émissions de gaz carbonique dans les toutes prochaines années. Cela ne veut pas dire qu'il ne faut rien faire : les mesures partielles sont préférables à rien, à condition de ne pas rester trop partielles tout de même, sans quoi elles n'empêcheront guère de catastrophes.

Alors, allons-y, jetons un œil à quelques domaines d'actions possibles. Et à tout seigneur, tout honneur : dans notre vie à tous, l'énergie la plus évidente, celle dont la présence ne nous étonne jamais, celle dont nous ne saurions nous passer, c'est bien l'électricité. Portons attention à cette bonne fée.

Tout-électrique, tout-nucléaire.

La gestion de l'énergie électrique en France est un service public. Et le service public, c'est bien connu, ne se soucie que du bien commun, sans aucune arrière-pensée mercantile. Et pourtant… Depuis une trentaine d'années, nous vivons sous le signe du tout-électrique. Et la promotion tous azimuts du chauffage électrique a induit un gaspillage insensé des ressources énergétiques. Comment cela ? Quelques explications sont nécessaires. L'électricité est une énergie noble, avec laquelle on peut faire fonctionner tous types d'appareils : lampes, moteurs, appareils électroniques ou chimiques, etc., et appareils de chauffage bien sûr. Et cette énergie noble est produite presque exclusivement à partir de l'énergie dégradée qu'est la chaleur, à l'intérieur des centrales thermiques classiques (pétrole, gaz, charbon) ou nucléaires.

En quoi la chaleur est-elle moins noble que l'électricité ? La chaleur est une énergie résiduelle, une "épluchure d'énergie" si l'on peut dire, toujours facile à produire, utile parfois (pour se réchauffer les mains, on les frotte l'une contre l'autre, transformant l'énergie-mouvement en chaleur), mais le plus souvent c'est un gâchis (il n'est jamais bon qu'un moteur chauffe, et on met de l'huile dans les rouages pour l'éviter). L'électricité se transforme très facilement en une autre forme d'énergie (le mouvement, par exemple, grâce aux moteurs), avec un excellent rendement souvent supérieur à 90%, et donc moins de 10% de perte (sous forme de chaleur justement). Elle se transforme encore plus facilement en chaleur dans les résistances des radiateurs et des cuisinières... et dans les fils de transports. Inversement, la transformation dans l'autre sens, de la chaleur vers l'électricité, ou de la chaleur vers le mouvement, est très difficile, et se fait avec un très mauvais rendement. Dans nos voitures, on estime que le rapport entre l'énergie utilisée et l'énergie dépensée est de moins de 10% pour les moteurs à essence, de 13% pour les diesels ; il est de l'ordre de 10 à 15% (autrement dit, 85 à 90% de pertes) dans les machines à vapeurs des anciennes locomotives, de 35 à 40%, 45% tout au mieux, dans les turbines les plus performantes des centrales électriques thermiques. Et ceci n'est pas dû à une quelconque incompétence des ingénieurs, ni à une inadaptation du matériel, mais aux lois incontournables de la thermodynamique, qu'on appelle les lois de Carnot, et qui précisent justement les conditions dans lesquelles la chaleur peut se transformer en une autre forme d'énergie, conditions qui offrent *toujours* un mauvais rendement dans la pratique.

Alors, quand vous chauffez votre appartement à l'électricité, en réponse à la publicité tapageuse pour ce mode de chauffage, c'est bien sûr très propre, le rendement est excellent chez vous, dans vos convecteurs. Mais au début de la chaîne, pour produire cet électricité si propre, il a fallu gaspiller dans les centrales, sous forme de chaleur, près des deux tiers de l'énergie disponible, en raison de ces fameuses lois de Carnot. Et pour peu que vous soyez un peu loin de la centrale, le transport en a mangé une part supplémentaire non négligeable. Alors que si vous vous chauffez directement au gaz ou au fioul, avec une chaudière correctement réglée, vous utilisez finalement deux fois ou deux fois et demi moins d'énergie, pour le plus grand bien de la planète. Mais bien entendu, seules les mauvaises langues pourraient affirmer que le but d'une telle politique est de vendre plus de courant, car en vérité, la main sur le cœur et les yeux dans les yeux, il faut proclamer qu'il s'agit en fait de veiller sur les ressources de pétrole et de gaz, car cette chaleur gaspillée vient pour sa plus grosse part du nucléaire, et le nucléaire ne dégage pas de gaz à effet de serre, et vous ne pouvez pas vous chauffer directement au nucléaire. Le gaspillage au secours de la planète. Et vous voyez bien pourquoi le nucléaire est nécessaire, puisque vous consommez tant d'électricité !

Tout cela n'est pas bien grave, de toute manière, puisque le nucléaire est si propre. Restent tout juste quelques problèmes concernant la sécurité, le démantèlement des centrales hors d'usage à l'avenir, et la gestion des déchets. Le problème des déchets n'est pas résolu, et ne risque pas de l'être de si tôt. Prenons l'exemple de l'un des plus importants de ces déchets, le plutonium. Cet élément n'existe pas sur Terre à l'état naturel, mais les centrales en produisent à la pelle depuis cinquante ans, par transmutation de l'uranium. Le plutonium est extrêmement dangereux pour trois raisons : d'abord sa radioactivité. Ensuite, son aptitude à permettre la fabrication d'une bombe du type de celle de Nagasaki : cinq kilos suffisent pour cela, la grosseur d'une canette de bière ; certes la technique pour fabriquer une bombe nucléaire artisanale ne semble pas pour l'instant à la portée des groupes terroristes, mais en revanche, il est beaucoup plus facile de mélanger à des explosifs classiques un peu de plutonium qui, au moment de l'explosion, se répandra en empoisonnant une vaste zone, en raison non seulement de sa radioactivité, mais aussi de ses propriétés chimiques. On arrive à la troisième raison de sa dangerosité : quelques microgrammes sont chimiquement mortels pour l'homme, une poignée répandue accidentellement ou de manière malveillante dans une nappe phréatique ou une rivière est suffisante pour empoisonner des millions de personnes. Du fait de sa radioactivité, le plutonium disparaît, mais très lentement. Sa "demi-vie" est de 24 000 ans, ce qui veut dire qu'il faut 24 000 ans pour que les quantités soient réduites de moitié, 48 000 ans pour qu'elles soient divisées par quatre, et ainsi de suite (c'est l'effet nénuphar à l'envers). Dans 240 000 ans, il en restera peu, (le millième de ce que nous accumulons aujourd'hui), mais vu les quantités produites et les propriétés extrêmement dangereuses de ce produit, c'est encore beaucoup. Et 24 000 ans, 240 000 ans, ce n'est pas demain : 24 000 ans, c'est plus loin de nous dans l'avenir que les peintures de Lascaux dans le passé ; 240 000 ans, c'est la moitié du temps qui nous sépare de la maîtrise du feu par l'homme… Les autres déchets nucléaires se comportent de manière analogue, avec une vitesse de disparition plus ou moins grande.

Utiliser le nucléaire, c'est obligatoirement produire de tels déchets. C'est donc se condamner à les gérer pendant des centaines de milliers d'années. On peut bien sûr affirmer que les sociétés humaines, de plus en plus développées, auront toujours les capacités nécessaires, capacités scientifiques et techniques, économiques et politiques. Cela signifie bien entendu que, pendant ce petit bout d'éternité, aucune des sociétés détentrices de ces stocks de déchets ne retournera à une sorte de Moyen Âge technologique ; qu'elles auront toujours les moyens financiers nécessaires à cette gestion, et qu'elles n'estimeront jamais avoir d'autres chats à fouetter ; que sur ces centaines de milliers d'années, aucune période de troubles, d'anarchie, de chaos, ne viendra remettre en cause ce programme... Les romains devaient avoir ce genre de certitudes au plus fort de la prospérité de leur empire. Aujourd'hui, l'évolution des vestiges nucléaires de l'ex-Union soviétique jette une lumière crue sur le sérieux d'un tel pari : après moins de cinquante ans, les matériaux nucléaires sont déjà impossibles à recenser avec précision, les sous-marins nucléaires encore chargés de combustibles rouillent dans le port de Mourmansk, et pendant l'hiver 2001-2002, des récipients contenant des matériaux radioactifs sont retrouvés dans la forêt par des paysans qui, voulant se réchauffer à cette source de chaleur tombée du ciel, s'y brûlent les mains. A part cela, tout va bien ? Vous avez des enfants ?

Ceci dit, il faut choisir. On vous l'a dit et répété : c'est le nucléaire, ou le retour à la bougie. Allons, un peu de sérieux, laissons la mauvaise foi de côté. Renoncer au nucléaire suppose certainement un effort d'économie d'énergie et de diversification de la production, mais ce n'est pas insurmontable. Cela dépend des choix avancés : en investissant dans la recherche sur les énergies renouvelables une part minime des sommes colossales consacrées à la recherche sur le nucléaire, on peut obtenir rapidement des résultats riches d'avenir pour utiliser au mieux l'énergie du vent, du soleil, de la chaleur de la Terre (géothermie), des marées et de la houle. Seulement, la France a voulu être en pointe dans le domaine du nucléaire, aussi bien dans la filière des centrales "ordinaires" que dans celle du surgénérateur (des dizaines de milliards de francs, saura-t-on jamais combien, ont été englouties en pure perte dans le fameux et fumeux projet Superphénix, avant son abandon définitif). En raison de cette priorité, la recherche sur les énergies renouvelables a été stérilisée en France, et nous avons pris un retard considérable par exemple dans le domaine aujourd'hui très porteur de l'énergie éolienne. Et c'est ainsi qu'on se retrouve avec un parc d'éoliennes cent fois moins important qu'en Allemagne, quarante fois moins important qu'au petit Danemark, avec une filière française de fabrication d'éoliennes tout juste balbutiante. Il a fallu attendre juin 2001 pour voir apparaître des mesures gouvernementales d'incitation au développement de cette forme d'énergie.

De toutes manières, l'éolien ne remplacera jamais le nucléaire, n'est-ce pas ? Seul, sans doute pas. Quoique… Faisons un calcul, à la louche. La France dispose d'une bonne cinquantaine de réacteurs nucléaires. En tenant compte des arrêts pour maintenance, disons pour simplifier que chaque jour cinquante sont en état de fonctionner. La puissance de chaque réacteur étant d'environ 1000 MW (mégawatts), cela nous donne une puissance totale de 50 000 MW. Côté éolien maintenant, les machines les plus couramment installées actuellement développent autour d'un MW, mais la puissance moyenne augmente chaque année : on sait construire des éoliennes de 2,5 MW, voire même 5 MW. Tablons sur 2 MW dans les années qui viennent. Pour remplacer les 50 000 MW du nucléaire, il faudrait donc 25 000 machines de ce type en fonctionnement, et, comme chacune ne tourne en moyenne que le quart du temps, quand il y a du vent, nous arrivons à un total de 100 000 machines à installer, c'est-à-dire trois par commune, ou encore un champ de dix éoliennes pour trois communes. Cet objectif serait-il totalement absurde ? S'il existe beaucoup d'endroits en France où il est hors de question d'installer une éolienne, d'autres en revanche pourraient en accueillir beaucoup plus.

Seulement, une éolienne, c'est laid ! Ah bon ? Question de goût. Mais il faut reconnaître que face aux élégantes tours de retransmission pour téléphones cellulaires et aux pylônes des lignes à haute tension qui égayent nos paysages, face à l'architecture soigneusement étudiée des châteaux d'eau et surtout des immenses silos à grains dont les lignes harmonieuses viennent rompre la monotonie des campagnes, face aux zones commerciales si pittoresques aux abords de nos villes et du moindre chef lieu de canton, on est en droit de se demander si une éolienne ne va pas gâcher des paysages tellement bien préservés jusqu'à présent. Rendons hommage aux défenseurs du beau, si soudainement tatillons sur le sujet. Remercions-les également de donner à cette appréciation esthétique personnelle toute la place qu'elle mérite, face aux problèmes négligeables posé par l'effet de serre, l'accumulation des déchets nucléaires ou le démantèlement à venir des centrales.

Voilà un aspect du côté technique, dans ce problème particulier de la production d'électricité. L'éventail des solutions est large. La recherche devrait aboutir demain à une baisse considérable du coût des capteurs photovoltaïques (capteurs permettant de transformer la lumière du soleil en électricité), et ainsi à une bonne rentabilité de cette solution. Il est tout à fait envisageable que l'efficacité de ces capteurs augmente de 50% dans les prochaines années. Il suffirait alors d'en couvrir la moitié des toits pour produire toute l'électricité que nous utilisons.

Je jette à tout vent.

Si la technique peut apporter des solutions partielles et temporaires, elle ne résout cependant pas tout. Elle ne résoudra rien si nos standards de vie continuent à nous rendre chaque année plus voraces en énergie. Ce type de réponse est totalement insuffisant en regard de l'ampleur des questions globales que nous devons affronter. C'est surtout une façon de botter en touche, de se débarrasser du problème en le remettant à des spécialistes sans vouloir s'en préoccuper réellement. Ces questions nécessitent au contraire une prise de conscience du fait que les solutions ont pour une large part un lien avec nos choix quotidiens à propos de la plupart des aspects de notre vie. De même, le fait de discuter le bien-fondé des choix énergétiques de la France ne dispense aucunement de s'interroger sur nos comportements de particuliers. Mais là, que dire ? Comment parler des moyens pratiques à mettre en œuvre, qui sont faits de milliers de détails et de choix dont chacun peut paraître insignifiant, touchant des pollutions minuscules et des gaspillages négligeables, dont l'évocation même semble un amas de mesquineries ? Risquons tout de même ce reproche de mesquinerie, car le sujet est important : c'est l'état d'esprit sous-jacent qui est en cause, et l'importance de ces minuscules pollutions, de ces gaspillages négligeables vient de ce qu'ils sont multipliés par un milliard, le milliard que nous sommes à pouvoir nous les permettre dans les pays industrialisés.

A la mise en service de la Tour Montparnasse, les employés qui travaillaient dans ces nouveaux bureaux devaient porter des lunettes noires pour résister à l'intensité de l'éclairage, pour lequel on avait prévu un seul interrupteur par étage. Il semble qu'on n'ait pas appris grand-chose depuis. Voyons le niveau de chauffage de nos appartements : il y a belle lurette que la recommandation de limiter le chauffage, émise dans la panique du choc pétrolier de 1973, est si l'on peut dire partie en fumée. Ou le niveau de refroidissement en été : quelle mouche nous a piqués pour que nous ayons besoin de geler en été sous le froid polaire d'une climatisation forcenée, alors que nous étouffons en hiver dans des bâtiments surchauffés ? Ou encore l'éclairage indirect par des lampes halogènes de 500 watts : c'est une lumière d'ambiance très agréable, mais il suffit d'allumer deux millions de ces lampes de 500 watts pour absorber la production d'une centrale nucléaire de 1000 mégawatts ; combien de ces lampes fonctionnent en France ?

On pourrait regarder le perfectionnisme de propreté chez l'homo occidentalis. Pour que sa chemise soit quotidiennement lavée plus blanc que blanc, que ne rejette-t-il pas dans l'environnement, en eau chargée de phosphates et autres résidus de détergents, en plutonium (pour l'électricité du lave-linge, du sèche-linge et du fer à vapeur) ? Au bout du compte, le milligramme de crasse enlevé revient fort cher pour la propreté de la Terre : avec quatre fois moins de poudre et une température de lavage moins élevée, notre linge serait encore correctement lavé, un peu moins éclatant peut-être, un peu moins imprégné de cette bonne odeur de lessive. Où placer le point d'équilibre entre la propreté personnelle et celle de l'environnement ? Et au fait, si américains et européens renonçaient à utiliser leur sèche-linge lorsqu'il fait beau, et étendaient leur linge au soleil, ils réaliseraient une économie d'énergie égale à la consommation totale de combien de pays africains ? Question saugrenue. Le linge qui pend aux fenêtres, c'est pittoresque dans les pays de vacances ; chez nous, cela manque de distinction...

Le souci de propreté est bien entendu en lien étroit avec la notion d'hygiène. Depuis Pasteur, on sait qu'une armée de microbes est tapie dans chaque recoin, prête à fondre sur nous au premier relâchement. C'est pourquoi telle marque de nettoyant pour sols met en avant les effets antimicrobiens de son produit, qui élimine 99,5% des bactéries. Les semelles de nos chaussures peuvent se rassurer. Presque… car que deviennent les 0,5% qui restent ? Plus sérieusement, les scientifiques nous apprennent qu'en bonne santé, notre corps héberge en permanence des centaines d'espèces différentes de micro-organismes, qui vivent en bon équilibre. C'est pourquoi, en dehors même des résistances dues aux excès d'antibiotiques, les tentatives pour éliminer certains microbes jugés indésirables ne sont pas sans effets pervers, car, ce faisant, on détruit cet équilibre : en disparaissant, certaines espèces libèrent une niche écologique pour d'autres, jusque là inoffensives, qui peuvent alors se multiplier anormalement et devenir virulentes. Aussi, les biologistes en reviennent de cette classification entre microbes dangereux et microbes inoffensifs, en constatant de plus en plus que la maladie infectieuse est rarement causée par la seule présence de telle bactérie ou tel virus, et que la virulence des souches de microbes peut varier énormément selon les circonstances. La phrase énoncée depuis plus d'un siècle, selon laquelle *"le microbe n'est rien, le terrain est tout"*, retrouve toute sa pertinence. Des études ont montré que les enfants élevés dans une ferme, les enfants de familles nombreuses, ceux qui possèdent un chien, sont moins vulnérables que ceux qui vivent dans un milieu plus aseptisé. Et en laboratoire, on étudie des souris sans microbes, qui se montrent particulièrement fragiles face à des infections sans effet sur les souris normales. En aseptisant toujours plus notre monde, nous finissons par nuire à notre santé, aussi bien dans le domaine des allergies que dans celui des infections. *"Être trop propre, est-ce possible ?"* se demande le directeur du Centre de résistance aux médicaments, à Boston. Et il répond aussitôt : *"A mon avis, oui !"*

Dans un tout autre domaine, on pourrait encore évoquer la rapidité de renouvellement de tous ces objets encore parfaitement fonctionnels, mais un peu défraîchis ou passés de mode. Les ordinateurs sont paraît-il dépassés au bout de deux ans, les téléphones portables sont destinés à être changés tous les dix-huit mois. Même s'ils fonctionnent parfaitement, on nous promet un autre modèle, plus léger, aux performances doublées, avec une fonction en plus, genre téléphone-brosse à dents ou ordinateur-grille-pain. Ces millions d'appareils en parfait état, mis au rebut à travers le monde, constitueraient une pyramide de déchets de belle taille, et leur renouvellement demande une quantité impressionnante de ressources naturelles. En Europe, on produit 16 à 18 kilos de déchets électroniques par an et par habitant, et on prévoit 30 kilos dans dix ans ; en France, le total atteint déjà près d'un million de tonnes par an ; ces appareils électroniques mis à la casse provoquent en gros la moitié de la pollution par le plomb, et renferment beaucoup d'autres matières polluantes ou rares. Faut-il s'en offusquer, puisque cela crée de l'emploi ? L'argument qui tue. Mais l'alcoolisme aussi crée de l'emploi en grosse quantité, à la production, à la vente, sans oublier la publicité.

Sans oublier également les voitures disloquées par les chauffards ivres, et qu'il faut remplacer. Sans oublier encore tout le travail consacré à réparer tant bien que mal ces vies démolies par les différents aspects de l'alcoolisme. Pourquoi donc lutter contre ce si gros pourvoyeur d'emploi ? Le renouvellement abusif du portable, cela n'a rien à voir. C'est même la pure provocation que de rapprocher les deux phénomènes. Encore que ... dans ces deux cas, comme dans bien d'autres, on a le droit de se poser la question des avantages plus ou moins fumeux de nos choix, en regard des dégâts bien réels qu'ils entraînent. Autrement dit, le sacro-saint emploi n'est pas si sacré que cela : quelle est la pertinence du choix de produire telle richesse plutôt que telle autre ? Le bienfait réel apporté au plus grand nombre, pour une nuisance minimale, ou seulement le critère de la solvabilité de l'acheteur et du profit du vendeur ? Le Marché gouverne, soit. Est-il pour autant interdit de se poser des questions sur les différences pour le moins surréalistes entre les préoccupations humaines : pendant que nous nous réjouissons de la rapidité de renouvellement de nos téléphones, quelques centaines de millions d'individus se désespèrent de ne pouvoir ajouter une poignée de riz à leur ration quotidienne. Faut-il pleurer, faut-il en rire ? A défaut de pouvoir en rire, on a pu longtemps s'excuser en disant que la misère des uns n'avait aucun lien avec l'opulence des autres, ou même que cette opulence de quelques-uns tirait tout le monde vers le haut. On aimerait se bercer encore d'illusions, et croire que c'est encore vrai, dans notre monde limité.

Oui, on pourrait considérer d'un œil neuf beaucoup d'aspects de notre mode de vie. Contentons-nous de regarder d'un peu plus près l'impact des transports, de l'alimentation et de l'agriculture. Encore une fois, s'il n'existe pas de solutions toutes faites, il est nécessaire de poser les termes des choix qui sont devant nous.

PLUS LOIN. PLUS VITE.

Il faut adapter la ville à l'automobile.
Georges Pompidou

Les transports dans le monde constituent la première cause de l'effet de serre. Comment en est-on arrivé là ?

On ne peut évoquer les transports sans s'intéresser à l'usage qui est fait des produits pétroliers, et le lien entre le coût de ces produits et la façon de les utiliser. Si les transports routiers, aériens, et maritimes se sont autant développés, souvent de manière anarchique, entraînant les problèmes que l'on sait, c'est principalement en raison d'un coût direct du carburant sans commune mesure avec le coût réel pour la société. En fidélité avec la mentalité de cueillette qui va si bien avec le libéralisme économique, on se réjouit de voir les producteurs vendre le pétrole quasiment au prix d'extraction, sans qu'il soit tenu aucun compte de la valeur inestimable pour l'humanité des siècles à venir, ni des inconvénients graves de son rejet massif dans l'atmosphère. Mettre le pétrole, patrimoine de l'humanité, au prix d'extraction, c'est un peu comme mettre les pierres du Colisée au tarif des pierres de carrière, ou la Bible de Gutemberg à celui du papier à recycler.

L'abondance actuelle du pétrole et du gaz, due à leur facilité d'extraction, ne justifie pas ce prix ridicule, ni le gaspillage qui en découle dans nos voitures, nos poids lourds et nos avions. Et même si le prix du brut a pu grimper en 2000 jusqu'à 35 dollars le baril, avant de redégringoler, même si les taxes multiplient par quatre ou cinq le prix d'extraction et de raffinage, même si l'on ne se prive pas de grogner contre le prix de l'essence, on est encore très loin de payer le pétrole au prix correspondant à la valeur irremplaçable pour demain et aux coûts induits par le gaspillage, en termes de pollutions et de nuisances de toutes sortes.

La chance qu'auraient pu représenter pour la société mondiale les deux premiers chocs pétroliers n'a pas été saisie par les pays producteurs, qui ont échoué à mettre en place une gestion à long terme de leurs ressources en vue d'un développement durable : certains pays du Golfe ont préféré rouler sur l'or comme l'Espagne des conquistadores, oubliant que cette facilité a représenté pour les Espagnols le plus sûr chemin vers un déclin de plusieurs siècles, dont ils viennent tout juste de sortir. D'autres gros producteurs, comme le Venezuela ou le Nigeria, ne connaissent même pas cette apparente et fallacieuse prospérité : les sommes colossales qui leur tombent dessus se perdent comme l'eau dans le sable, et laissent les populations enfermées dans le sous-développement. Le Venezuela est un pays petit mais fabuleusement riche de potentialités. Premier fournisseur de pétrole des États-Unis, il possède un sous-sol gorgé de réserves diverses. Le seul revenu de l'or noir lui a rapporté depuis un quart de siècle l'équivalent de vingt fois le plan Marshall. Si le plan Marshall a permis à toute l'Europe occidentale de se relever des ruines de la guerre et de connaître la prospérité que l'on sait, comment comprendre qu'une somme vingt fois plus importante, arrosant un petit pays de vingt millions d'habitants, ne lui ait pas permis de sortir de la misère ? (50 à 70% des Vénézuéliens vivent en dessous du seuil de pauvreté). Et on ne peut même pas imputer cet échec à une dictature accapareuse et incompétente, car ce pays connaît la démocratie politique depuis quarante ans sans interruption. En fait, l'Histoire lointaine ou récente montre que la vente de matières premières, et en particulier du pétrole, n'est pratiquement jamais en elle seule source de développement ; les fruits de cette rente de situation sont répartis de manière beaucoup trop inégale et trop artificielle ; c'est la passivité, la gabegie, la corruption et l'insouciance qui sont encouragées plutôt que la justice sociale, l'efficacité économique et l'initiative individuelle.

Cette chance n'a pas non plus été saisie par les pays consommateurs, qui ont échoué à préparer un type de société moins gourmande et moins centrée sur le court terme et l'habitude. Ces pays ont échoué aussi à réguler les cours fluctuants de cette matière première jugée essentielle. Lorsque le prix du baril retombe comme il y a peu aux alentours de dix dollars, il serait fondamental de soutenir ce cours ridicule par une taxe temporaire, peut-être internationale, mais plus probablement nationale ou européenne, dont le produit pourrait donner aux pouvoirs publics les moyens d'avancer vers des solutions nouvelles sur la gestion de toute la filière énergétique. En soutenant les prix, une telle taxe aurait en tous cas permis de maintenir active la recherche sur les économies d'énergie et sur les énergies renouvelables, recherche qui s'est trouvée asphyxiée par la concurrence sauvage d'un pétrole bradé : comment pouvait-on espérer rentabiliser rapidement les améliorations techniques sur l'énergie éolienne, sur le chauffage solaire ou l'électricité photovoltaïque par exemple, face au pétrole à dix dollars le baril ? De plus, grâce à une modulation de cette taxe lors des remontées des cours, les hausses intempestives pourraient être écrêtées et rester plus supportables pour les marins-pêcheurs, les routiers, les taxis et les agriculteurs, en attendant des réformes à plus long terme.

Enfin, cette chance n'a pas été saisie par la communauté internationale, qui n'a pas pensé à élaborer une notion de droit de l'ensemble de l'humanité sur l'ensemble des ressources non renouvelables. En 1973, lors du quadruplement du prix du brut, certains commentateurs qualifiaient la nouvelle donne d'*impôt*, avec tout ce que ce mot sous-entend de péjoratif dans l'opinion, impôt payé par les pauvres occidentaux à ces vilains arabes. Curieux de qualifier d'impôt l'usage d'un droit de propriété, dans une société si empressée pourtant à sacraliser ce droit, tout au moins pour les puissants ! Aujourd'hui, on n'ose plus vraiment utiliser ce langage, peut-être du fait que le mini-choc pétrolier de l'an 2000 a été reconnu d'un genre différent des précédents. En effet, ceux-ci étaient nés d'une crise politique, guerre du Kippour, révolution iranienne, invasion du Koweït. La flambée des prix en 2000 provenait de causes plus économiques : la demande de brut flirte désormais avec les limites de la production et les possibilités de raffinage. Le plus souvent, la production reste légèrement supérieure à la demande, mais les choses ont tendance à changer. Cette rareté effective tient en partie à la croissance de la consommation des pays occidentaux, croissance qui se maintient malgré les déclarations officielles d'intention de modération (sur la décennie 90, encore 11% d'augmentation aux États-Unis), mais aussi et de plus en plus à la concurrence des pays émergents, comme la Chine, l'Inde ou le Brésil, gros consommateurs désormais. Cette rareté peut encore être contournée de manière temporaire, grâce à une augmentation des capacités d'extraction et de raffinage, mais à terme elle est inéluctable : depuis une dizaine d'années, on découvre nettement moins de pétrole qu'on en consomme ; la tendance lourde sur les prix sera donc à la hausse. Face à cette tendance à l'épuisement des réserves, et face aux dangers climatiques qui nous menacent, il devient urgent de réfléchir à cette sorte d'impôt international évoqué plus haut sur l'ensemble des ressources non renouvelables, impôt qui permettrait de financer les moyens de mettre en place plus de justice internationale et une réorganisation de la planète face à ses problèmes d'énergie.

Chère bagnole.

Le Président de la République a placé la sécurité routière parmi les priorités de son second mandat. La campagne gouvernementale de l'automne 2002 est entrée en résonance avec une opinion publique enfin prête à la recevoir, et la conscientisation s'est mise en marche avec une rapidité surprenante. D'habituels, les excès de vitesse sont devenus rarissimes ; les beaux parleurs, qui auparavant se prétendaient beaucoup moins dangereux à 160 que tous les autres à 90, ont fait profil bas, ayant réalisé qu'il était vain de se tuer, de devenir assassin ou tétraplégique pour aller plus vite nulle part. Ayant jusque là toujours ignoré ce qu'on lui répétait, qu'en passant de 130 à 120 km/h, il abaissait la consommation de sa voiture de 20%, et, de ce fait, réduisait ses nuisances en général et ses méfaits sur le climat en particulier, le français moyen en a soudain pris conscience, en adaptant sa conduite. Les cadres supérieurs comme les ouvriers ont brutalement réalisé ce que les psys de tous bords s'évertuaient depuis si longtemps à énoncer sans écho, à savoir que l'adoration portée à leur voiture, prolongement phallique d'eux-mêmes, n'était qu'un pitoyable substitut au besoin infantile d'être reconnu. Commerciaux sous pression et superwomen speedées ont remis en cause l'agenda boursouflé qui leur imposait de rouler à tombeau ouvert, un sandwich dans une main, le téléphone portable dans une autre, pour voler d'un rendez-vous urgent à une réunion indispensable. En quelques mois, tout un chacun a commencé à regarder les transports en commun d'un autre œil. C'était nettement moins coûteux, mais un peu moins rapide il est vrai. Beaucoup cependant ont trouvé le courage d'annoncer à leur patron qu'ils quitteraient désormais leur travail à une heure raisonnable pour prendre le bus. D'autres se sont dit qu'ils pouvaient marcher tranquillement deux kilomètres matin et soir plutôt que de transpirer sur les dix kilomètres du jogging le dimanche matin. Dès le printemps 2004, une nouvelle tendance faisait fureur parmi les dirigeants d'entreprise : c'était d'arriver avec ses pinces à vélo dans les conseils d'administration. A la fin de l'été de la même année, les études révélaient une baisse de 40% du kilométrage moyen parcouru pour les vacances : les Français avaient redécouvert cette année-là les régions proches de chez eux, et pour les voyages plus longs, ils avaient plébiscité le train.

Fin 2004, le ministre des transports triomphait : la baisse de la fréquentation de la route, la chute impressionnante du nombre d'embouteillages, le nouveau comportement des automobilistes avaient pulvérisé les statistiques du nombre de morts et de blessés sur les routes.

En revanche, l'industrie automobile faisait grise mine. Le renouvellement du parc était au point mort. Les grosses cylindrées en particulier, celles qui se vantaient de dépasser les 200 à l'heure, ne faisaient plus recette qu'auprès de quelques beaufs indécrottables. Les indices boursiers des sociétés d'autoroutes étaient dans le rouge, tout comme ceux des pétrolières ; la baisse du trafic, conjuguée à celle de la vitesse, avait fait chuter la consommation de carburant de plus de 30%. Dans les hôpitaux, les services de réanimation fermaient des lits, et les centres de rééducation commençaient à licencier ; les services d'aide à domicile pour les tétraplégiques s'inquiétaient pour leur avenir. Devant la baisse du nombre de sinistres, les assureurs s'étaient frotté les mains dans un premier temps, avant de réaliser, au moment du calcul des tarifs 2005 et surtout 2006, que la nouvelle situation avait généré une concurrence suicidaire entre compagnies soucieuses de conserver leur clientèle.

Bref, des pans entiers de l'économie nationale étaient sinistrés ou en voie de l'être. Une relance s'imposait. De tous côtés, des voix s'élevaient pour remarquer que la baisse du nombre des morts et des blessés sur les routes avait été trop brutale. Ce passage, entre 2002 et 2005, de presque 8000 à moins de 3000 morts était insupportable pour l'économie, et il convenait de revenir sans délai à des chiffres plus raisonnables. Le consensus finit par s'établir sur un objectif de 6000 morts. Conscient de ses responsabilités, le gouvernement décidait de mettre en sommeil la campagne, finalement trop efficace, de conscientisation et de répression de la criminalité routière. On serait désormais discret sur la vitesse ainsi que sur l'agressivité et l'alcool au volant. Un Groupement d'Intérêt Économique fut constitué entre les constructeurs, les compagnies pétrolières et les sociétés d'autoroutes afin de coordonner de subtiles campagnes de presse et de publicité, destinées à redorer le blason de la voiture, et ainsi regagner le terrain perdu. Dans la foulée, tous les projets gouvernementaux sur la réduction du trafic poids lourds furent remis dans les tiroirs. On revenait à la raison.

Et nous, après ce quart d'heure de délire, revenons à la réalité. Enfin, pas tout à fait…

Lors de la campagne pour les élections de 1998 au Bundestag, l'aile la plus radicale des Verts allemands prônait le passage du litre de carburant à 6 DM, soit 20 francs, ou maintenant 3 euros. En France, lors des présidentielles de 1974, René Dumont proposait déjà le litre d'essence à 5 francs, ce qui pour l'époque revenait un peu au même. Dans les deux cas, les réactions variaient du sourire amusé devant cette plaisanterie à l'air scandalisé face à une proposition qui ne pouvait être qu'une provocation. Et pourtant, si on s'arrêtait quelque temps pour réfléchir à cette mesure, rien que pour imaginer les conséquences ? Ou plus vraisemblablement quelques conséquences, car c'est de révolution culturelle qu'il faudrait parler, de grand chambardement de toute notre vie, beaucoup plus grand certainement que ce qui vient d'être imaginé à propos de la mortalité routière.

Les inconvénients de la voiture individuelle sont connus, mais nous y sommes tellement habitués que nous ne les voyons plus. Nous sommes tellement convaincus qu'ils sont le revers obligé de la nécessaire voiture que nous ne *voulons* pas les voir. Faut-il donc qu'elle ait des attraits (et elle en a !) pour que nous tolérions son coût financier individuel et collectif, la pollution et le pillage des ressources, la dégradation des paysages et de l'habitat par les constructions d'autoroutes et de parkings, le temps perdu dans les embouteillages, et plus encore les morts et les graves handicaps ! La voiture a pendant le vingtième siècle tué plus que la seconde guerre mondiale. Encore aujourd'hui, à côté des 8 000 morts qui lui sont dus par an en France, les crimes de sang sont de l'ordre de seulement

2 000 : où est donc la première cause d'insécurité ? Au mois de septembre 2001, sans faire aucun gros titre, la voiture a tué plus d'Américains que les attentats du 11. Bien sûr, les choses ne sont pas comparables ; la tragédie du 11 septembre est terrible non seulement par le nombre de morts, mais aussi par la volonté de la décision. La voiture tue sans que personne ne l'ait décidé au sens strict, mais on continue à participer au développement de ce système de transport en sachant qu'il y aura ces morts, à quelques unités près, ces morts dont seule la désignation est laissée au hasard, comme la présence des victimes dans les deux tours de New-York. Sommes-nous là dans les limites du risque acceptable ? Qu'est-ce qui dans la voiture nous subjugue, nous anesthésie, nous empêche d'ouvrir les yeux pour évaluer lucidement le rapport entre ses bienfaits et ses méfaits ? Il est vrai que les uns comme les autres sont difficiles à mesurer. Comment évaluer la liberté indéniable qu'elle apporte ? Comment s'en passer quand on en a besoin pour aller au travail, quand il n'y a pas d'autre moyen de transport ? Comment évaluer l'impact sur les finances publiques, sur l'emploi, sur l'environnement ? Le poids des vies brisées ? Attardons-nous seulement sur ce qui est le plus facilement calculable : le coût individuel pour son propriétaire.

Ce coût est considérable. Les statistiques publiées régulièrement parlent d'un coût moyen annuel de l'ordre de 6 000 euros (40 000 francs) par voiture. Le revenu mensuel moyen tournant quant à lui autour de 1 400 euros (9 000 francs), c'est donc plus de quatre mois de revenus que chaque automobiliste consacre par an à sa voiture en moyenne. Plus du tiers de son temps de travail ! Qu'est-ce qui pousse à un tel système ? C'est d'abord qu'on ne voit pas bien comment faire autrement, et ensuite qu'on ne s'en rend pas bien compte, ce coût total étant dilué dans de multiples postes (achat, entretien, assurance, parking, péage, carburant...). D'ailleurs, demandez-vous ce que vous coûte votre voiture, demandez-le à votre voisin, vous serez probablement bien en dessous de ces chiffres. Alors, la voiture étant déjà si coûteuse, comment peut-on avoir le culot de proposer encore une augmentation substantielle du carburant ? C'est que pour faire reculer les graves inconvénients de l'usage immodéré de la voiture, il est indispensable que cet usage revienne à un niveau beaucoup plus raisonnable, et que les transports collectifs, nettement moins gourmands en énergie, nettement moins producteurs de nuisances, deviennent clairement compétitifs face à la voiture individuelle, et cela même pour une famille de quatre ou cinq personnes. Et en effet, avec un plein passant à 120 ou à 200 euros, le coût de la voiture augmenterait bien sûr sensiblement (pour 20 000 kilomètres par an, il faudrait compter 2 à 3 000 euros de plus), mais surtout serait nettement plus apparent. Il faudrait bien sûr mettre en place des mesures d'accompagnement pour que les plus démunis ne soient pas les plus touchés (nous y reviendrons). Mais en tous cas, un plafond psychologique serait crevé : l'usage "naturel" de la voiture individuelle serait remis en cause ; on renoncerait peut-être à prendre sa voiture pour parcourir deux kilomètres ; on pourrait réapprendre pour les petites distances la marche et le vélo ; le covoiturage pourrait enfin perdre son caractère marginal et se développer là où les transports en commun resteraient insuffisants. Il est vrai qu'on peut difficilement mettre partout en place des réseaux de transports en commun offrant le même degré de liberté et de commodité que la voiture individuelle, mais beaucoup de progrès sont toutefois possibles dans ce domaine. Et dans la comparaison entre l'individuel et le collectif, si on tenait compte non du simple coût financier de la voiture pour l'usager, mais aussi du plus important à terme, le coût pour la société, une réflexion pourrait s'engager sur les mesures à prendre pour favoriser des comportements nouveaux.

Faire ses courses au bout du monde.

Pour ce qui est du fret, on sait qu'il est aujourd'hui transporté aux trois quarts par la route ; les autoroutes et les nationales sont de longues chenilles de semi-remorques. Le carburant passant à un prix un peu moins déraisonnable pour l'équilibre mondial, on pourrait enfin mettre en place pour les longs trajets cette liaison fer-route dont on parle tant sans rien voir venir, afin de désencombrer le réseau routier, diminuer le nombre d'accidents, mieux respecter les ressources naturelles et diminuer la pollution de l'air.

On peut aller plus loin et se poser la question de la nécessité d'un tel développement des transports dans l'économie mondiale. Les échanges internationaux, la division du travail au niveau mondial, tout cela est très bien si cela permet d'optimiser les capacités de chacun. Mais dans certains cas, cela conduit à un gaspillage insensé, gaspillage qu'un surcoût significatif des carburants obligerait à reconsidérer. Américains, européens et asiatiques produisent désormais des gammes de produits pratiquement équivalents : est-il vraiment nécessaire de transporter par exemples des voitures d'un continent à l'autre ? C'est une bonne chose qu'un pays qui ne peut produire facilement telle denrée agricole puisse l'importer d'une région ayant plus de facilités pour sa production. A condition toutefois qu'on ne prenne pas seulement en compte le bénéfice financier du vendeur et de l'acheteur, mais que le bénéfice *réel* pour l'humanité compense au moins le coût *réel* de cet échange. Est-il raisonnable que les USA et le Brésil nous envoient autant de cargos de soja, alors que nous avons tout ce qu'il faut pour produire en Europe sinon la même chose, en tous cas l'équivalent ? Que transportaient les semi-remorques pris dans l'incendie du tunnel du Mont Blanc ? Du papier hygiénique passant de France en Italie, et du papier hygiénique passant d'Italie en France ! Des pommes de terre produites aux Pays-Bas et acheminées vers l'Italie pour y être épluchées et conditionnées à un prix légèrement inférieur, avant d'être revendues on ne sait où. L'immense territoire des États-Unis est-il à ce point dépourvu d'eau potable, pour qu'on doive faire traverser l'Atlantique à des millions de bouteilles d'eau minérale ? Il faut que les vertus de cette eau gazeuse un peu salée soient vraiment extraordinaires. L'Australie a interdit, vache folle oblige, l'importation de viande bovine européenne. Ah bon ? Parce que l'Australie, immense pays agricole, avait besoin d'importer des bœufs des antipodes ? On croit rêver. En Bretagne, les carrières de granite ferment les unes après les autres, car les bordures de trottoir importées de Chine s'y retrouvent à meilleur marché que celles qui sont produites localement. Bienfait du pétrole bradé. On va bientôt importer du sable vers le Sahara et de la glace vers le Groenland. N'est-ce pas un luxe inouï, face aux vrais besoins mondiaux, que le raisin du Chili nous arrive en mars par avion, moyen de transport de très loin le plus gourmand en énergie ? Est-il vraiment nécessaire que les jeans passent d'un avion à l'autre, pour être coupés ici, cousus là, et revendus encore ailleurs. Il faut croire que toutes ces allées et venue sont parfaitement rentables au plan strictement financier ; mais quand verra-t-on se dessiner la notion d'une autre rentabilité, celle de la Terre et de l'humanité qu'elle porte ? On n'en est pas là, à l'heure où quelques-unes des plus grosses fortunes mondiales se mettent au tourisme de l'espace, n'ayant aucun complexe à s'envoyer en l'air en apesanteur en faisant du même coup partir en fumée les précieuses ressources d'énergie qui devraient être considérées comme le bien commun ?

On s'émeut avec raison des marées noires de l'Erika et du Prestige, parce qu'elle est bien visible. Pourtant, la pollution par les marées noires ne représente que 2% du total de la pollution des mers. Oublions même les naufrages et les dégazages sauvages, quinze fois plus polluants que les grandes marées noires. Regardons le fonctionnement "normal" des cargos, pétroliers, chimiquiers, porte-conteneurs et autres vraquiers. En sillonnant les océans pour une utilité souvent si discutable, ils rejettent dans l'atmosphère, de par le pétrole qu'ils consomment pour simplement avancer, la moitié du gaz carbonique dégagé par les USA. Tout cela dans le silence médiatique.

Les lobbies de la route

Mais revenons à cette hypothèse, farfelue aujourd'hui, du carburant à 3 euros. Ce serait l'espoir de la fin de nos chers embouteillages, l'espoir aussi d'une solution pour la pollution de l'air des villes. Mais aussi une mutation profonde pour l'industrie automobile : crise profonde ou au contraire boom sans précédent, grâce au renouvellement rapide du parc automobile au profit de modèles réellement économes ? Crise aussi certainement pour les sociétés d'autoroutes, condamnées à revoir tous leurs projets, et pour les compagnies de transports routier et aérien. Mais aussi développement des transports en commun. Traumatisme en tous cas pour la société, habituée à graviter autour de la voiture individuelle et du transport routier des marchandises.

On ne pourrait éviter qu'une telle augmentation du prix du carburant fasse hurler aussi bien l'automobiliste ordinaire que le chauffeur de taxi, le transporteur routier et les compagnies aériennes... bref, un peu tout le monde : le blocage des dépôts de carburant en septembre 2000 l'a encore montré. Il est vrai que pour les professionnels, la potion serait amère et obligerait à des adaptations et à des reconversions déchirantes, analogues à celles qu'ont connues bon nombre de professions, et qui ont besoin d'être accompagnées par la société. Ce traumatisme, on peut tout de même l'étudier, le prévoir, l'évaluer, s'il s'avère nécessaire d'en passer par-là. La mutation de la sidérurgie représentait un traumatisme de même ampleur, pour une région en tous cas. La réforme du système des retraites se montre aussi traumatisante au plan national, mais, bien ou mal, on a fini par l'aborder. La refonte globale du système de transports deviendra tôt ou tard nécessaire : il importe de ne pas la repousser indéfiniment.

Pour les particuliers en revanche, cette mesure ne se traduirait pas nécessairement par une baisse du pouvoir d'achat. Car une telle ponction fiscale supplémentaire sur les carburants ne peut évidemment être mise en place indépendamment de ce qui l'entoure ; elle s'accompagnerait nécessairement d'une remise à plat et d'un transfert d'une bonne partie du système de prélèvements.

En effet, les rentrées fiscales supplémentaires ainsi générées, même modulées par une baisse importante de la consommation de carburant, permettraient d'alléger d'autres prélèvements, sans compter que certains postes de dépenses seraient réduits : coût des infrastructures routières et aéroportuaires, des pollutions, des accidents de la route... On peut tout imaginer pour une bonne utilisation des sommes dégagées : d'abord subventionner massivement l'amélioration du réseau de transports en commun, et l'usage de ceux-ci là où ils restent trop coûteux ; supprimer totalement les cotisations sociales sur la tranche la plus basse des salaires, par exemple, ce qui aurait un effet indéniable sur l'emploi, puisqu'il est communément admis que le travail non qualifié est trop coûteux. Ou bien affecter les sommes supplémentaires au financement si problématique des régimes de retraites. Les besoins ne manquent pas.

Une ponction fiscale n'est jamais isolée. Ce qu'on prend ici, on peut soit le redistribuer, soit prendre moins ailleurs. Inversement, si l'état baisse ou supprime un prélèvement, ce n'est qu'en trouvant ailleurs les ressources de remplacement, ou en diminuant ses dépenses. Baisser les taxes sur le gazole comme c'est demandé en cas d'augmentation du prix du brut, cela implique d'augmenter d'autres prélèvements, ou de renoncer à d'autres baisses, ou encore, ce qui peut être populaire voire démagogique, de baisser le "train de vie de l'état". Or cette expression de "train de vie" laisse entendre que l'état dépense d'abord pour son plaisir, ses caprices ou son prestige, et c'est tout de même un peu fort. Peut-être dépense-t-il parfois mal, de manière moins efficace et moins juste qu'on le souhaiterait, mais, n'en déplaise aux libéraux purs et durs et aux démagogues, on peut reconnaître qu'il dépense en principe pour le bien public. Il doit donc faire des choix de recettes et de dépenses. C'est pourquoi "yaka baisser les taxes sur les carburants", c'est un programme facile mais un peu court. Le choix de l'assiette des impôts, des taxes et des cotisations sociales est lourd de conséquences, mais c'est un choix politique qui n'a rien d'automatique : pourquoi les allocations familiales sont-elles financées par une cotisation sur les salaires plutôt que par une taxe sur l'énergie ? La gabelle a disparu, l'impôt sur le revenu a été instauré ; le système actuel peut et doit encore changer. Bien sûr, c'est très difficile : même si le nouveau système est meilleur pour l'ensemble de la société, certains perdent nécessairement au changement.

Bon, revenons sur terre, après ce second quart d'heure de délire. Nous n'en sommes pas là, tant s'en faut. Pour s'en convaincre, il suffit de se souvenir de l'an 2000, riche d'enseignement à ce sujet. En janvier, l'indignation était générale contre les pétroliers qui polluaient nos jolies plages par Erika interposé. En septembre, le pays frisait l'apoplexie en raison du prix du carburant déclaré insupportable, même s'il était moins cher en francs constants que sur la période 1974-1985. (Et s'il avait beaucoup augmenté en quelques mois, cela voulait-il dire qu'il était devenu trop cher, ou qu'il était trop bon marché auparavant ?) Peu importe ! Je te ferme les ports pour garder le litre de gazole à moins d'un franc pour mon bateau de pêche, je te bloque les dépôts de carburant pour gratter quelques centimes par-ci et une exonération par-là. Et l'opinion publique de réclamer à 90% la baisse du prix de l'essence, sans remarquer que l'essence compte en fait très peu dans le coût total de sa voiture (moins de 19% pour une Clio, selon une étude publiée en été de la même année). Oubliées en tous cas, les larmes de crocodiles sur l'Erika ! L'homme occidental est un champion de la schizophrénie : il n'a aucune peine à se donner une bonne conscience écologique en battant la coulpe de quelques pollueurs bien identifiés, et qui, il faut dire, font tout pour mériter cet opprobre ; mais que diable, si ces vilains pollueurs sont ceux qui lui vendent un confort à bas prix, il oublie vite d'admettre que des changements gênants sont nécessaires même s'ils doivent le toucher personnellement.

Les marins-pêcheurs disposaient déjà d'un gazole totalement détaxé, et payaient celui-ci moins d'un franc le litre en 99, mais l'augmentation du prix du brut les a pris de plein fouet en faisant passer en 2000 leur carburant à 2,20 F. Une telle hausse de 150% en si peu de temps les mettait à genoux. On comprend leur désespoir. Mais est-ce vraiment au gouvernement de payer toujours la note, sans poser les questions qui dérangent ? Et d'abord, où était leur principal problème, dans ce nouveau prix de 2,20 F, qui restait tout de même bien modeste, ou dans l'augmentation brutale de 150%, qui les a pris de court ? Il est vrai qu'à 0,90 franc le litre, on n'a évidemment pas envie de rationaliser son organisation et d'investir pour réaliser quelques économies de carburant, et on reste démuni devant la hausse ultérieure. Autre question : pourquoi ce surcoût, à condition toutefois d'être plus étalé dans le temps, ne peut-il être répercuté sur le prix de vente du poisson ? Parce qu'il est plus facile, pour une profession éclatée en toutes petites entreprises, et confrontée à la concurrence de la grande pêche industrielle, de faire pression sur le gouvernement en bloquant les ports, plutôt que sur les hypermarchés qui font la loi et qu'on ne sait comment atteindre ? Parce que la profession, désemparée il est vrai face à des difficultés effrayantes, trouve plus simple de se tourner vers les pouvoirs publics afin d'obtenir des avantages financiers à court terme plutôt que de lui demander de l'aide pour une meilleure organisation et pour la lutte contre la surproduction de poisson qui aujourd'hui tire les prix vers le bas et qui compromet l'avenir par la raréfaction des ressources de pêche ?

La situation est voisine pour les entreprises de transports routiers. Là aussi, on comprend qu'une hausse soudaine des tarifs du carburant pose problème. Il ne devrait pas en être de même du niveau absolu de ces tarifs : si de manière durable, une profession entière est incapable de répercuter sur ses clients le coût du gazole comme elle répercute les autres coûts, c'est qu'il y a un problème grave de gestion, que les pouvoirs publics n'ont pas vocation à compenser. C'est une chose de demander la mise en place d'un système de régulation des fluctuations exagérées des cours, c'en est une autre de réclamer toujours une aide financière pour camoufler une concurrence effrénée et suicidaire. Le secteur du transport routier souffre lui aussi d'un éclatement en une multitude d'entreprises, parfois très petites, qui se font une concurrence acharnée et qui se trouvent pieds et poings liés face aux donneurs d'ordre. Jusqu'à maintenant, la seule tentative de réponse aux problèmes rencontrés en raison de cette situation a été de barrer les routes pour réclamer des aides. Il faut d'ailleurs avouer que cette politique s'est montrée payante : ce secteur professionnel est maintenant largement subventionné, même si c'est indirectement. Subventionné de fait par le non-paiement de certaines charges de structures, celles en particulier de l'équipement routier et autoroutier, qui est dégradé presque exclusivement par les poids lourds ; si ceux-ci devaient payer des péages au prorata de ces dégradations, leurs charges en seraient plombées bien autrement que par le carburant. Subventionné par les avantages fiscaux du type de ceux qui ont étés accordés en septembre 2000. Subventionné par des baisses de charges sociales et des dérogations à la législation du travail, dérogations dont les salariés du secteur font largement les frais.

Lorsque dans les années 70-80, la sidérurgie et le textile se sont trouvés en positions intenables, il a bien fallu un jour que les pouvoirs publics s'arrêtent de soutenir à bout de bras ces secteurs, et choisissent d'aider la reconversion, douloureuse évidemment, des salariés concernés. Aujourd'hui, la situation est différente pour le secteur du transport routier qui, ainsi subventionné, tourne à plein régime, et manque même de personnel. Mais c'est l'intérêt public qui demande de cesser le soutien à ce secteur hypertrophié, producteur de beaucoup trop de nuisances, de gaspillages et de dumping social. Un secteur condamné à terme à régresser pour faire plus de place à d'autres, le rail en particulier, autrement plus performant pour la société.

Mais pour l'instant, les gouvernements eux-mêmes sont atteints du même genre de schizophrénie que la population : il faut bien ménager la chèvre et le chou, la chèvre de la popularité et le chou...

vert, bien entendu. Les mesures gouvernementales présentées en janvier 2000 pour lutter contre le réchauffement de l'atmosphère ne péchaient certes pas par excès de brutalité, la trop timide écotaxe danse le tango, au point qu'on ne sait plus très bien si elle existe ou non. Dès septembre, la disparition démagogique de la vignette était un nouveau cadeau à notre si chère voiture, et les primes aux lobbies des barreurs de routes et des bloqueurs de ports montraient le peu de cohérence de la politique dans ce domaine. Une alouette de mesures de protection de l'environnement pour un cheval de dévotion aux transports routiers. Il suffit de comparer le montant des subventions au rail et à la route. Pour la période 2000-2006, les subventions publiques pour le développement du rail se montent à huit milliards de francs, à peine plus que celles qui sont accordées pour la construction d'une seule autoroute du sud de la France... Allez, encore un effort !

Le monde à portée de main

Ce qui est vrai pour la voiture individuelle et les transports de marchandises ne l'est pas moins pour les transports aériens. Ceux-ci se sont développés de manière considérable, mettant les continents lointains à portée de beaucoup de bourses, et c'est évidemment entre autres raisons grâce à la faiblesse insensée du prix du pétrole. Il est sans conteste agréable de pouvoir découvrir le monde, mais cette facilité ne doit pas dispenser des questions dérangeantes. Je peux d'un coup d'aile atteindre pour mes vacances le Népal ou la Bolivie. Dépaysement assuré. Ouverture sur le monde, à condition de savoir me défaire de mon air conquérant et voyeur, à condition de savoir regarder autrement que par le viseur de mon caméscope. Seulement, si je prends conscience que la part de kérosène brûlée pour moi par mon Airbus dépasse largement la consommation en énergie de tout ce village indien pendant une année, c'est à me dégoûter de l'exotisme. A l'heure actuelle, les avions rejettent autant de CO_2 que la Grande-Bretagne. Si l'évolution actuelle devait se poursuivre, dans cinquante ans, ce serait presque autant que l'ensemble des rejets de l'Union Européenne. Pauvre protocole de Kyoto !

Interviewé à l'occasion de la sortie de son livre *Combien de catastrophes avant d'agir*, Nicolas Hulot en venait à dire qu'il faudra bien un jour s'interroger sur ce besoin toujours plus grand de voyager en avion. Remarque un peu culottée, venant d'un tel globe-totter, et le journaliste n'a évidemment pas manqué de lui en faire la remarque. L'animateur d'Ushuaïa a reconnu la contradiction et les questions que cela lui pose. La Terre est magnifique. Mais si nous voulons par centaines de millions, par milliards demain pourquoi pas, prendre l'avion pour admirer les merveilles des antipodes, nous contribuons sérieusement à détruire justement ces merveilles, cette merveille qu'est notre planète. Aurons-nous la sagesse de nous contenter des merveilles plus proches de nous ?

Lorsque la grotte de Lascaux a été découverte, le public a pu y accéder. Magnifique. Seulement, les responsables du site ont vite remarqué que la respiration de ces milliers de visiteurs modifiait l'atmosphère de la grotte, sa température, sa teneur en vapeur d'eau et en gaz carbonique notamment. Et ces modifications menaçaient gravement les peintures rupestres. Sous peine de les voir totalement disparaître en quelques années, il a fallu décider en catastrophe de fermer la grotte au public, et d'en réserver l'entrée à certains spécialistes triés sur le volet. Depuis, on en a fait une copie à l'identique. Moyennant des installations sophistiquées de ventilation et de régulation de l'atmosphère intérieure, cette grotte artificielle de Lascaux 2 est accessible aux visiteurs, tandis que l'original reste fermé. Quant aux autres grottes, découvertes depuis, comme la grotte Chauvet, on s'est gardé de reproduire la même erreur : elles restent interdites afin d'être préservées. Le public doit se contenter de photos, films et autres CD-Rom.

La visite des merveilles de la Terre par des centaines de millions de visiteurs menace certaines de ces merveilles aussi sûrement que les peintures préhistoriques. Et si ce n'est pas la visite elle-même, c'est le trajet en avion et en voiture pour s'en approcher qui se charge des dégâts avec une efficacité redoutable. Faut-il se précipiter vers la Grande Barrière de Corail avant qu'elle ne meure du fait du réchauffement de la planète, alors que le voyage en avion ne fera qu'aggraver le phénomène, ou faut-il se contenter des images que peuvent en rapporter les Nicolas Hulot, pour qu'elle puisse perdurer ?

Avec tout cela, Roissy et Orly sont paraît-il au bord de la saturation. Il a donc été question pendant un temps de créer en

Picardie un troisième aéroport parisien. Est-ce là une solution ? Ouvrir un nouvel aéroport, c'est créer un appel d'air, pour que de plus en plus de gens prennent l'avion. C'est un mouvement sans fin : demain un troisième, ensuite un quatrième aéroport. C'est le même phénomène d'ailleurs pour les transports routiers : une autoroute ici, une rocade là où ça bouchonne, et ça va mieux pendant cinq ans, pendant dix ans peut-être. Puis tout recommence. Et on reporte la réflexion de fond à plus tard. Quand comprendra-t-on qu'il faut dire : assez ! Assez de croire régler les problèmes par la fuite en avant.

De toutes manières, il faudra bien se faire tôt ou tard à la remontée du prix du brut. Ses mouvements de yoyo cachent l'évolution à terme, mais cette remontée est inéluctable, car elle découle de la raréfaction des réserves pétrolières. Même si on pouvait se permettre de faire abstraction des dangers de l'effet de serre et de la nécessité de diminuer les rejets de gaz carbonique, on serait obligé de constater que les découvertes de nouveaux gisements se font plus rares : pendant qu'on découvre un nouveau baril, on en consomme quatre. On va bel et bien vers la fin du pétrole à bas prix, car on va vers la fin du pétrole tout court. Les collégiens d'aujourd'hui connaîtront cette situation. Et cela, aucun barrage de port, aucun blocage de dépôt d'essence ne saura l'empêcher. Les faits risquent de se montrer têtus.

LA REVOLUTION DANS L'ASSIETTE

Le paysan est comme éradiqué parce que non conforme à un temps où produire beaucoup et vite permet de mieux spéculer. A un temps où l'emballage, le transport, la distribution et la publicité qui l'accompagnent rapportent plus que la denrée elle–même.

Pierre Rabhi

Depuis une cinquantaine d'années, les changements dans l'alimentation des occidentaux, et particulièrement des français, ont été considérables, et seuls les plus jeunes peuvent en ignorer l'ampleur. Un aspect est trop rarement abordé à propos de ces changements, à savoir leur impact sur l'utilisation des ressources naturelles, ou si l'on préfère, le coût en énergie et en matières premières de toute la filière qui assure notre alimentation, de la production à l'élimination des déchets, en passant par le transport et la distribution.

L'essentiel de ce changement tient dans la diversification phénoménale de l'alimentation dans l'ensemble de la population française, et de l'Occident en général. Cette diversification se manifeste de plusieurs manières : consommation, en toutes saisons, de fruits et légumes divers, cultivés hors saison en serre chauffée, ou provenant d'autres pays ou d'autres continents ; recours grandissant aux plats préparés et surgelés ; baisse de la part des féculents, du pain en particulier, et augmentation de la consommation de graisses, de sucres rapides, et de produits d'origine animale (viande, produits de la mer et produits laitiers). Regardons de plus près ce dernier point.

Dans la première moitié du dix-neuvième siècle, la viande et les produits laitiers représentaient 15% de la ration alimentaire ; en 1970, elle atteignait 40%. L'accroissement de la part des produits animaux est en partie lié à l'image fortement positive de ces produits dans l'opinion. Dans toute l'Histoire, la viande est considérée comme un aliment de luxe dont les riches usent et abusent, tandis que les serfs sont pendus pour le braconnage d'un lièvre ; et le bon roi Henri entre dans la légende avec sa poule-au-pot ; les pauvres ont été tellement privés de viande que la consommation actuelle sonne comme une revanche. Et la réputation de la viande, qui est en effet une source intéressante de protéines, a carrément viré au mythe : la viande rend fort, la viande donne une bonne santé. Et beaucoup de mères se désolent et s'inquiètent en voyant leur bambin chipoter devant son bifteck. La viande se doit donc d'apparaître chaque jour, souvent même deux fois par jour, sur la table de la plupart des familles : un repas sans viande ni poisson n'est pas un repas !

Les produits laitiers ont suivi un chemin très voisin. Comme si leur attrait sous leurs multiples présentations ne suffisait pas, il faut invoquer à leur sujet la réputation, en partie justifiée, mais qui là aussi tourne au mythe, du calcium, garantie de force et de vitalité. Les Japonais, traditionnellement, ne consomment pratiquement pas de produits laitiers ; dans leur alimentation, l'apport de calcium est deux à trois fois moins important que pour nous, et provient essentiellement des céréales dont ils se nourrissent. Sont-ils tous carencés ? Ils sont moins grands, sans doute, mais on n'a pas entendu dire qu'ils sont tous rachitiques et accumulent les fractures. Alors, qu'on choisisse de consommer des produits laitiers pour le plaisir, soit. Qu'on les mette un peu à contribution pour un équilibre alimentaire en protéines, en calcium ou en vitamine D, pourquoi pas ? Que leur consommation massive fasse la fortune de la filière agro-alimentaire, qui n'a guère envie de voir changer cet état de fait, on peut le comprendre. Mais qu'on en vienne à appeler à la rescousse des arguments médicaux pour justifier cette consommation à haute dose, non seulement par les enfants mais aussi par des adultes, c'est beaucoup plus discutable. Tous les mammifères se nourrissent du lait de leur mère, tant qu'ils sont petits. Pourquoi l'homme serait-il le seul mammifère qui, adulte, serait encore *obligé* de consommer du lait, le lait d'une autre espèce animale qui plus est, pour se maintenir en bonne santé ? L'évolution peut modifier les besoins, mais le bétail n'a commencé à être domestiqué que voici environ dix mille ans, ce qui est trop court à l'échelle de l'évolution de l'espèce humaine pour que l'homme soit à ce point devenu dépendant du lait fourni par ce bétail.

Quoi qu'il en soit, ces changements ont permis en France l'accès du plus grand nombre aux plaisirs de la table et, dans une certaine mesure, à une meilleure santé, grâce à une alimentation plus équilibrée et plus variée. Mais dans une certaine mesure seulement, car il faut souligner que l'introduction massive de la viande, des produits laitiers, des pâtisseries, des jus de fruits s'est faite non seulement par substitution mais aussi et surtout par addition. Si les quantités de féculents et de légumes secs ont régressé, ce qui n'est d'ailleurs pas nécessairement positif, les apports des aliments d'origine animale et des aliments sucrés ont considérablement augmenté. En particulier, la consommation de fromages et de desserts sucrés étant maintenant considérée comme indispensable, les fins de repas sont couramment surchargées au delà du raisonnable. De "çà se mange sans avoir faim" à "c'est tellement bon que j'en reprends", la surconsommation alimentaire tend à devenir la règle, à l'encontre des recommandations des nutritionnistes, selon lesquels il est toujours préférable de rester légèrement sur sa faim. Et les excès de graisses animales font la part belle en Occident aux maladies cardio-vasculaires. S'ajoute à cela tout ce qui peut être grignoté entre les repas, ces petits plaisirs qui n'en sont pas moins des aliments rentrant dans l'équilibre (ou le déséquilibre) journalier. Dans le même temps, les besoins nutritionnels ont diminué, la population n'étant dans son immense majorité plus soumise aux travaux de force. On en arrive à la situation suivante : pour ne reprendre que l'exemple des protéines, la consommation de celles-ci atteint en Occident 1 à 2 grammes par kilo et par jour pour un adulte, alors que l'OMS recommande 0,5 gramme ; à consommer ainsi deux à quatre fois trop, on surcharge bien entendu l'organisme. On peut voir là l'influence de notre peur de manquer : dans notre alimentation, on se sent menacé par les carences en protéines, en vitamine ceci, en oligo-élément cela, oubliant que le déséquilibre alimentaire a pour la plupart d'entre nous beaucoup plus de chances de venir du trop que du trop peu, que la carence qui nous menace le plus est sans doute celle du sens de la mesure. La France se rapproche de plus en plus du modèle américain (près de 3 500 calories par jour, dont 1 400 d'origine animale), alors que, selon la FAO, 3 000 calories, dont 600 d'origine animale (comme au Japon) constituent une moyenne beaucoup plus satisfaisante pour la santé. La France fait donc partie du gros demi-milliard qui compromet sa santé par excès alimentaire ; on y voit notamment croître de façon alarmante la fréquence de très graves obésités chez les jeunes ; et la tension, qui n'est pas nouvelle, entre l'incitation constante à manger plus que de raison et la nécessité culturelle de rester mince, participe au stress, et conduit parfois à des régimes aussi dangereux que farfelus. Mais passons : il serait hors de notre propos de nous attarder sur la bonne fortune des vendeurs de régimes et de produits amincissants miracles. Revenons plutôt à l'impact de ces changements alimentaires sur l'économie et l'écologie mondiale.

Une des caractéristiques des produits d'origine animale, c'est qu'ils sont coûteux à produire en termes de ressources. On a en effet montré que pour produire une calorie ou un gramme de protéines d'origine animale, il faut en moyenne 7 fois plus de moyens que pour produire la même valeur alimentaire d'origine végétale. En effet, lorsqu'un poulet, un porc, un bovin ou une truite d'élevage mange des céréales (blé, maïs, mil,...), des légumineuses (pois, haricots, soja,...) ou de la farine de poisson, il fabrique de la chair et de la graisse, qui fourniront à l'homme des protéines et des calories, mais avec énormément de pertes (en raison de tout ce qu'il faut à cet animal pour vivre : il produit beaucoup plus de déjections que de chair). Ce rendement de 1 pour 7 est une moyenne ; pour le bœuf, il serait plutôt de 1 à 11, pour le veau de 1 à 20, et pour le porc de 1 à 4. On cherche à l'améliorer par des efforts de sélection des souches animales, par l'intensification des techniques d'élevage et de sélection, mais il reste nécessairement mauvais. Un ami ayant participé à l'organisation d'une porcherie au Cameroun avait d'ailleurs rencontré des réticences non dénuées de sagesse de la part des paysans : *"Eh, pourquoi tu veux que je donne le maïs au cochon ? Le maïs, je le mange !"*

Aujourd'hui, la Terre peine à nourrir 6 milliards d'habitants. Mais avec les exigences occidentales, elle aurait du mal à assurer la demande de nourriture de 2 milliards d'humains, de leurs chiens et de leurs chats : avec nos 700 calories d'origine animale en trop, multipliées par 7, cela fait 4 900 calories gaspillées : nous mangeons comme trois ! A contrario, avec une meilleure répartition, et si les occidentaux acceptaient de baisser quelque peu leurs prétentions, notamment sur les quantités de viande, de produits laitiers et de poissons, elle pourrait nourrir très correctement 10 à 12 milliards d'habitants et peut-être plus.

Bien sûr, tout ceci n'est pas une condamnation de l'utilisation des aliments d'origine animale : à dose raisonnable, ceux-ci permettent plus facilement d'équilibrer l'alimentation en protéines, et certaines terres, sous toutes les latitudes, ne peuvent être valablement utilisées autrement qu'en pâturages pour l'élevage d'herbivores, parce qu'elles sont trop arides ou trop accidentées par exemple. Il n'en reste pas moins vrai que nos porcs, nos volailles et la plus grosse part de nos bovins sont maintenant nourris grâce aux grains cultivés sur de bonnes terres. Chez nous, cette utilisation du sol, avec l'intensification qui lui est liée, engrais et pesticides, mécanisation et irrigation, est un maillon essentiel du système productiviste agricole. Et quand ce sont les meilleures terres des pays pauvres qui sont consacrées au soja ou au manioc de notre bétail, on ne peut prétendre que c'est l'usage le plus judicieux pour nourrir l'humanité. Des études ont estimé que, pour produire les aliments destinés à son bétail, l'Europe utilise dans les pays du Tiers-Monde sept fois sa propre surface agricole. Le chiffre exact est sans doute impossible à vérifier, mais l'ampleur du problème est indéniable. Voici quelques années, une organisation tiers-mondiste avait lancé un slogan qui, pour être provocateur, n'en était pas moins juste, parlant du "*grain du pauvre qui nourrissait la vache du riche*".

Peut-être la solution consisterait-elle à se tourner davantage vers les inépuisables ressources de la mer. Inépuisables ? Si on a longtemps pu les considérer ainsi, force est de reconnaître qu'il n'en est plus de même. A l'époque des grandes pêches à la morue sur les bancs de Terre-Neuve et d'Islande, l'humanité prélevait chaque année dans l'océan une quantité évaluée à un demi-million de tonnes de poissons, de mammifères marins, mollusques et crustacés. Ce chiffre a explosé au cours du vingtième siècle : il a été multiplié par près de 200, atteignant le record annuel de 90 millions de tonnes. Maintenant, le total des prises stagne. Ce n'est pourtant pas qu'on y consacre moins de moyens, bien au contraire. Les techniques électroniques de repérage des bancs de poissons ou de calmars sont redoutablement efficaces. Et les moyens de prise ne le sont pas moins : filets dérivants longs de plusieurs dizaines de kilomètres, réseaux mécanisés de lignes comportant des centaines d'hameçons… Alors, si malgré ces moyens sophistiqués, le niveau des prises stagne, c'est que la mer se vide. Car non seulement on ramasse à l'excès les poissons destinés à l'alimentation humaine, mais tout le reste est également bon à prendre. Même les poissons trop jeunes, même les espèces non consommables par l'homme : c'est la "pêche minotière", qui permet la fabrication de farines de poissons destinées à entrer dans la composition d'aliments du bétail. Ce faisant, en pêchant les jeunes avant qu'ils aient atteint l'âge de la reproduction, on compromet les populations à venir ; mais aussi, en prélevant les espèces non consommées par l'homme, ou celles qui se vendent moins bien, on retire celles-ci de la chaîne alimentaire, on élimine la nourriture des poissons plus gros, qui eux sont consommables. En Méditerranée se répandent les fermes marines d'engraissement du thon rouge destiné aux sushis des japonais. Pour produire un kilo de thon, il faut lui fournir dix kilos de poissons plus petits, sardines, maquereaux ou harengs par exemple. L'obtention du thon, considéré comme noble d'un point de vue gastronomique, conduit donc au gaspillage de 90% des protéines animales fournies par des poissons décrétés vulgaires, protéines qui n'en sont pas moins de qualité et directement utilisables par l'homme. Mais cela ne suffit pas, et certaines grosses entreprises de pêche minotière veulent aller plus loin. Elles lorgnent sur les énormes nuages de krill, ces minuscules crevettes qui dans les mers froides constituent la nourriture de base de beaucoup d'espèces de poissons et de cétacés, mais qui promettent aussi de juteux profits.

Les mesures proposées par l'Union Européenne au printemps 2002, et qui ont fait hurler les pêcheurs, sont peut-être inadaptées, inefficaces, injustes, maladroites. Pourquoi envoyer à la casse des milliers de bateaux si ceux qui restent continuent à tout ramasser sans précaution ? Mais en tous cas, la motivation de ces mesures correspond à une réalité : la mer se vide. Alors, se nourrir de poisson sauvage, pourquoi pas, mais à condition de respecter les équilibres. C'est loin d'être le cas aujourd'hui. Quant au poisson d'élevage, nourri de céréales, et de farines de poissons justement, c'est une autre histoire, qui rejoint par beaucoup d'aspects celle de l'agriculture intensive.

Le prix du bifteck

Si en une cinquantaine d'années, on a pu révolutionner à ce point l'alimentation dans les pays développés, et si dans le même temps le monde a pu compenser globalement l'accroissement très rapide de sa population, c'est grâce à l'intensification de l'agriculture. Sur cette période, le rendement d'une terre en France s'est considérablement accru : on obtient désormais assez couramment cent ou cent-vingt quintaux de blé à l'hectare, là où, voici un demi-siècle, un rendement de quarante quintaux restait exceptionnel. (Faut-il rappeler qu'au Moyen Âge, les rendements tournaient plutôt autour de trois ou quatre quintaux ?) La production d'une vache laitière a de même été multipliée par trois ou quatre pendant ce demi-siècle.

Cette explosion des rendements a été rendue possible en partie par les améliorations techniques (sélection et création de nouvelles variétés ; introduction de nouvelles cultures intensives comme le maïs, qui s'est répandu sur presque toute la France ; irrigation ; changement du mode d'alimentation du bétail, utilisant plus de grain et moins d'herbe ; ...) et par l'emploi massif d'engrais et de pesticides.

Et à ce propos, on peut faire plusieurs remarques.

En aval, une agriculture de ce type est fortement polluante, on le sait maintenant : le problème de pollution des eaux, par les phosphates et les nitrates laissés par les engrais et les concentrations d'élevage, ainsi que par les résidus de pesticides, est à ce point préoccupant qu'on a fait des agriculteurs les boucs émissaires de la pollution.

Précisons cependant certains points : une évolution importante de l'agriculture était nécessaire. Alors que le reste de la société accédait à la prospérité pendant les Trente Glorieuses, on ne pouvait demander aux agriculteurs de continuer à se satisfaire indéfiniment de conditions de vie et de travail qui pour la plupart étaient des conditions de misère. Dans beaucoup de régions de Bretagne, dans les années 50, la surface agricole par actif était de l'ordre de 5 hectares, morcelées en une douzaine de parcelles ; il fallait en moyenne 2 hectares pour élever une vache, qui elle-même fournissait 2 500 litres de lait. Avec en moyenne 2,5 vaches, un travailleur produisait donc

6 250 litres de lait par an. Il est évident qu'on ne pouvait en rester là. (Imagine-t-on le prix de vente du litre de lait nécessaire pour couvrir ses frais, sans parler de gagner le SMIC ?) L'action notamment des jeunes agriculteurs, regroupés dans le CNJA, et pour beaucoup formés à la JAC (Jeunesse Agricole Chrétienne), pour faire évoluer cette situation, a donc été totalement nécessaire.

Il est vrai que, entrés avec enthousiasme dans cette nécessaire mutation en vue d'une amélioration de la productivité qui devait leur ouvrir les perspectives d'une vie meilleure, bien des agriculteurs se sont glissés dans le système productiviste, et s'y sont maintenus beaucoup trop longtemps sans se poser de questions. On ne peut les dédouaner totalement de leur responsabilité en la matière. Seulement il faut rappeler qu'ils ont été conduits à marche forcée dans cette direction par leurs techniciens, leurs organisations professionnelles majoritaires et leurs banques, par les marchands de matériels, d'engrais et d'aliments du bétail. L'idée géniale de donner des cadavres à manger aux vaches n'est pas venue des agriculteurs. Et les pouvoirs publics eux-mêmes ont été les premiers à pousser dans ce sens. Aujourd'hui, l'eau est devenue imbuvable dans une bonne partie de la Bretagne, dont les côtes nord sont ensevelies sous des milliers de tonnes d'algues vertes nauséabondes, notamment dans les Côtes d'Armor. On connaît l'origine de cette invasion : les rejets de nitrates et de phosphates dus au lisier épandu à l'excès sur les terres où se sont concentrés trop d'élevages de porcs et de volailles. L'État n'a rien fait pour maintenir cette concentration dans des limites raisonnables. Au contraire : alors que la sonnette d'alarme avait été tirée depuis longtemps, les préfets bretons donnaient encore récemment leur accord systématique à toute implantation nouvelle et à tout agrandissement de porcherie. Aussi, c'est de manière pertinente que des associations de défense de la côte se retournent maintenant devant la justice contre l'État qui n'a pas joué son rôle, en laissant se détériorer une situation jusqu'à ce qu'elle devienne catastrophique non seulement au plan écologique, mais aussi (car les deux sont liés) au plan économique.

Pour aller au bout des responsabilités, il faut aussi rappeler au consommateur qui vit en chacun de nous qu'il est le premier commanditaire de cet état de fait. En effet, si l'agriculture a réalisé ces bonds de productivité fantastiques depuis cinquante ans, c'est parce qu'à l'autre bout de la chaîne, il existe une demande de plus en plus forte. Comme il a été dit plus haut, nous consommons 1 400 calories d'origine animale, au lieu des 600 recommandées par la FAO : pour notre santé comme pour celle de la Terre, nous mangeons donc en moyenne deux fois et demi trop de produits animaux. On ne peut vouloir son bifteck, son escalope ou son assiette de charcuterie à chaque repas, voire dans deux plats au même repas, tout en ignorant superbement comment tout cela est produit. Pour disposer de ces quantités en excès, il faut des élevages, il faut des engrais pour produire le maïs que mangeront les poulets, les cochons et les taurillons. Ou alors, il faut aller chercher le soja et le manioc cultivés souvent sur les meilleures terres d'Amérique latine ou d'Asie. Et si en plus, on veut que tout cela soit proposé à un prix dérisoire, comme on s'y est habitué de manière progressive, on ne peut guère être exigeant sur la qualité des produits obtenus, ni faire semblant d'être étonné en découvrant les moyens peu ragoûtants de leur production. Les vaches devenues folles à force d'être cannibales, les poulets engraissés eux aussi aux farines de cadavres qu'on a dites enrichies aux huiles industrielles et aux boues de stations d'épuration (là, on espère tout de même avoir fantasmé et cédé à une rumeur non fondée), mais déjà aussi, bien auparavant, les veaux et poulets aux hormones, les ensilages enrichis en urée et en ammoniac, tout cela procède d'une logique. Lors de la crise de 99, le porc était payé 5 francs le kilo au producteur, et proposé à 13 francs dans les supermarchés, le poulet de batterie était parfois moins cher encore. En été 2002, le prix du porc chute à nouveau, il descend à un euro chez le producteur, sans d'ailleurs tellement bouger à l'étalage. Dans ces conditions, on ne peut tout de même pas demander en plus un produit savoureux, respectant la santé du consommateur, ni exiger que les éleveurs se préoccupent de trop près d'environnement ou de bien-être des animaux. Pour arriver à de tels tarifs, il faut bien sûr faire flèche de tout bois, rogner toutes les marges, inventer jusqu'à l'inimaginable afin de doper la productivité.

Pourtant, à bien réfléchir, le poulet et le porc à 2 euros le kilo, parfois moins, ce n'est pas un peu bizarre ? Il y a cinquante ans, pour s'offrir le produit de luxe qu'était un poulet, il fallait le salaire d'une journée de travail pour un ouvrier. Aujourd'hui, une demi-heure suffit pour un poulet label, un quart d'heure pour un poulet de batterie. Voilà un siècle, l'essentiel du revenu des familles populaires suffisait tout juste à assurer le simple pain ; il y a quarante ans, dans une famille moyenne, il fallait encore consacrer près de la moitié du budget à la nourriture ; aujourd'hui, nous en sommes à 12 ou 16 %, selon les études. Dans la première moitié du dix-neuvième siècle, le salaire de 150 heures de travail d'un ouvrier était nécessaire pour payer cent kilos de blé ; entre les deux guerres, il en fallait encore 50 heures ; 5 heures suffisaient en 1970, et une heure et demi maintenant. On mesure le chemin parcouru dans la libération par rapport à la recherche de la simple subsistance : Jean Valjean était condamné au bagne pour le vol d'une miche de pain, mais aujourd'hui, le vol à l'étalage touche plutôt les CD et les dessous en dentelles ; en tous cas, l'occidental moyen consacre désormais beaucoup plus d'argent à son logement, à ses déplacements, à ses loisirs et à sa santé qu'à sa nourriture ; et dans la plupart des familles occidentales, le problème est beaucoup moins le nombre de bouches à nourrir que l'équipement pour la rentrée, les cours de piano et le stage d'équitation, la console de jeux, le home-cinéma ou le budget vacances, sans oublier les traites sur la nouvelle voiture. C'est une libération sans précédent par rapport à cette sorte de fatalité ancestrale selon laquelle l'homme devait consacrer l'essentiel de son énergie à sa simple survie. Mais là comme en d'autres domaines, l'évolution se fait jusqu'à l'absurde. Et l'absurde, c'est la vache folle et le poulet à la dioxine, c'est l'eau imbuvable ; c'est aussi la désertification des campagnes, le pillage du Tiers-Monde, le déséquilibre général...

Au contraire, si nous ne voulons pas que notre nappe phréatique soit trop polluée, et si nous ne voulons également éviter de trop inciter les pays du Sud à nous livrer une production qui leur serait tellement plus utile, nous devons nous résoudre à réduire notre consommation en produits si bon marché pour notre budget individuel, mais si coûteux pour l'équilibre mondial. C'est ainsi que l'intensification agricole pourra être maintenue à l'intérieur de limites acceptables. Dans ce cas, la production étant moins massive, les prix agricoles augmenteront nécessairement ; dans une telle évolution, les agriculteurs ne devraient pas être perdants, bien au contraire. Et les consommateurs ? Sur les 12 à 16% que représente l'alimentation dans un budget moyen, il faut savoir qu'un cinquième seulement de cette modeste part (c'est-à-dire finalement 2,5 à 3% du budget total) revient à l'agriculture, le reste allant aux transports, à la transformation et à la commercialisation ; une certaine augmentation des prix agricoles ne rendrait donc pas le panier de la ménagère beaucoup plus coûteux. Sans compter que le consommateur-contribuable doit aujourd'hui payer comme contribuable les dégâts considérables que provoque cette situation profitable au consommateur. Nous y reviendrons.

En amont, il faut évaluer ce que coûte à la Terre l'évolution des dernières décennies. Si une certaine partie des engrais est tirée du sol (phosphates, potasse), ces ressources ne sont pas totalement inépuisables ; et surtout la grosse masse des engrais azotés est synthétisée à grand renfort d'énergie : il faut environ une tonne de pétrole pour fabriquer une tonne d'ammonitrate, l'engrais azoté de base. A cette consommation d'énergie pour la fabrication et le transport des engrais, il faut bien sûr ajouter la consommation de gazole des machines agricoles, et le coût énergétique du séchage artificiel du maïs, et du transport vers nos élevages des céréales, du soja et du manioc produits ailleurs.

Traditionnellement, les légumes et les céréales consommées par l'humanité étaient fournies par l'énergie solaire qui fait pousser les plantes, et par l'énergie musculaire des hommes et des animaux. Maintenant, ces aliments sont surtout faits de pétrole. La culture traditionnelle du riz aux Philippines produisait 16 calories digestibles pour 1 calorie apportée. En 1970 déjà, en apportant 1 calorie, on produisait à peine 1 calorie digestible avec la culture du blé au Montana. Et si en plus on donne ce blé à des cochons ou des bœufs, il faut encore, pour le rendement en alimentation humaine, diviser ce rendement par 4 ou 11, comme on l'a vu.

L'évolution de la consommation de l'eau en agriculture est comparable. L'intensification passe communément par l'irrigation. Il en résulte une baisse dramatique des nappes phréatiques dans de vastes régions du globe. Aux USA, où l'on utilise 1,4 mètre cube d'eau d'irrigation pour produire un kilo de maïs, la nappe géante d'Ogallalla, utilisée pour l'irrigation des grandes plaines du centre, est à moitié épuisée. En Inde, dans le Tamil Nadu, la nappe a baissé de 30 mètres en 10 ans. Ne parlons pas de la Libye, qui épuise à un rythme d'enfer la nappe fossile saharienne pour cultiver le désert.

Cette consommation de ressources serait bien entendue justifiée si elle était nécessaire à l'alimentation de l'humanité, et si elle ne compromettait pas l'avenir. Mais que dire de la pertinence d'un tel système, dès lors qu'il contribue à mettre en péril sans nécessité réelle l'équilibre énergétique et écologique de la planète, qui se révèle rapidement un équilibre économique, surtout quand il est rompu ?

Que dire également du décalage entre les moyens mis en œuvre pour nourrir les pays développés, et ceux dont dispose un paysan du Tiers-Monde, pour lequel la seule énergie disponible pour tirer du sol sa nourriture est souvent celle de ses bras. Voici encore vingt ans, dès qu'on abordait le sujet de l'alimentation mondiale, on se scandalisait, à juste titre, du contraste entre la surproduction devenue habituelle en Occident et la malnutrition endémique dans trop de pays du Sud. L'idée qui prévalait était alors celle du transfert : nous produisons trop ici ; là-bas, on manque de tout ; expédions nos surplus ; notre dynamisme agricole va ainsi permettre de résoudre le problème de toute la planète. Ce n'est pourtant pas si simple. Nous y reviendrons.

Une agriculture sans vaches folles ?

Auparavant, attardons-nous encore un peu sur la situation de notre agriculture, en réfléchissant à la longue cascade de causes et de conséquences dans laquelle s'inscrit son intensification dans les pays développés. Nous avons évoqué les raisons de cette intensification : augmentation énorme de la demande, beaucoup moins causée dans nos pays par la croissance limitée de la population que par les changements d'habitudes alimentaires et en particulier par l'augmentation de la consommation des produits animaux, viande et produits laitiers. Nous avons également abordé d'une part les moyens de cette intensification, en termes d'amélioration des techniques et d'utilisation des ressources, et d'autre part quelques-unes de ses conséquences en termes de gaspillages de ces ressources, de pollutions et d'inquiétudes des consommateurs face à certaines pratiques pour le moins surprenantes.

Quant à la baisse du prix des produits alimentaires sur nos étalages, elle est à la fois cause et conséquence de l'intensification, elle-même liée à la surproduction agricole. Si les prix ont pu baisser de manière aussi considérable depuis un demi-siècle, c'est bien sûr en raison des gains de productivité, énormes en agriculture. Pendant les années 50, 60 et 70, l'agriculteur est sorti largement gagnant de cette course entre la baisse des cours et les gains de productivité. Tout l'encourageait à augmenter sa production, en particulier le système des prix garantis dans certaines secteurs (lait et céréales). Aujourd'hui, la baisse des cours est plus rapide que les gains de productivité. Pour que cette baisse des cours ne se traduise pas en baisse de revenu, l'agriculteur doit s'agrandir et doper encore plus sa production. Le résultat, c'est la difficulté croissante d'installation des jeunes et la désertification des campagnes ; c'est aussi la surproduction, devenue endémique en Occident.

Aussi, au début des années 80, la CEE, qui finançait cette surproduction par le système des prix garantis, s'inquiète à juste titre de l'accumulation des montagnes de beurre et de poudre de lait, ainsi que des sommes à dépenser pour vendre à perte sur le marché extérieur les céréales payées en Europe deux fois le cours mondial. Des mesures sont donc prises successivement : quotas laitiers, mise en jachère d'une partie des terres, baisse massive du prix des céréales, et pour éviter un cataclysme social dans le monde agricole, mises en place d'aides financières directes aux agriculteurs, en remplacement des aides indirectes précédentes. Parallèlement au changement des pratiques, le discours officiel commence à changer radicalement : en rupture totale avec le passé, un rapport de l'INRA (Institut National de la Recherche Agronomique), le "rapport Poly", se prononce pour une agriculture plus autonome, moins dépendante de l'industrie, et plus économe, moins gourmande en consommations intermédiaires, moins polluante, adaptant mieux sa production aux débouchés. Révolution culturelle dans les chaumières !

Plusieurs conséquences à cette orientation de la PAC (la Politique Agricole Commune). En premier lieu, les agriculteurs, dont la survie est le plus souvent liée à cette aide, se sentent de plus en plus assistés, envahis par une avalanche de paperasse, surveillés par tout un système tatillon de contrôle. Ils en retirent l'impression qu'ils vont bientôt devoir passer plus de temps à remplir des formulaires qu'à s'occuper de leurs terres ou de leurs animaux, devenus simples prétextes à primes. Beaucoup trouvent humiliant de devoir attendre le chèque du Trésor Public sans lequel le bilan financier d'une année de travail serait négatif. Ce n'est pas très bon pour le moral, ni pour le sentiment d'effectuer un travail utile à la collectivité.

D'autre part, ce système génère des injustices scandaleuses. Est-il admissible que 80% des aides communautaires soient attribuées à 20% des agriculteurs, en général les plus gros ? Est-il admissible que quelques rares agriculteurs dégagent un très confortable revenu, de parfois 100 000 euros annuels, composé à près de 80% de primes, alors que d'autres survivent avec bien moins que le SMIC ? Au début de l'été 2003, une nouvelle réforme de la PAC, la réforme Fischler, censée corriger certains défauts, a finalement été approuvée par les gouvernements, malgré l'opposition des organisations agricoles ; cette opposition est justifiée notamment par la programmation d'une baisse rapide des aides dans les prochaines années, baisse qui portera un mauvais coup à l'agriculture si les cours ne remontent pas. Pourtant, l'ambition de cette réforme est officiellement de rendre plus juste le système des aides, en découplant le montant le montant de celles-ci de la production (rendements, nombre de têtes de bétail…) pour les rendre forfaitaires par exploitation. L'application de la réforme reste encore très floue, mais il semble que les aides directes à chaque exploitation seront fixées sur la production de celle-ci pendant les dernières années (2000-2002), quelle que soit la production future. Autrement dit, la situation de chaque exploitation sera figée définitivement. Une telle réforme marque-t-elle vraiment un progrès en terme de justice et en terme de clarification d'une situation malsaine ? A voir…

En troisième lieu, si ce système fait apparemment l'affaire du consommateur, en maintenant les matières premières agricoles à un niveau très bas, cela ne fait pas l'affaire du contribuable qui doit le financer. Le contribuable et le consommateur étant en fait une seule et même personne, il serait plus sain de miser sur la vérité des prix, par une baisse des primes et une remontée des cours, au lieu de pérenniser cette étatisation de fait d'une bonne partie de la filière agricole. Le système d'aides n'est pas condamnable en soi, bien au contraire, il est même nécessaire pour rétablir l'équilibre entre des producteurs et des régions qui connaissent des situations extrêmement différentes ; il peut être également nécessaire pour passer certaines phases de transition, mais s'il se généralise et se pérennise comme c'est le cas, il conduit à des absurdités qui le condamnent. Enfin, on est en plein royaume d'Ubu lorsque d'un côté les pouvoirs publics français ou européens imposent à l'agriculture une limitation administrative de sa production, par quotas et jachères interposés, et que d'un autre côté, ils laissent se poursuivre une intensification à grands renforts d'engrais, de pesticides et de farines animales. A quoi bon geler 10 ou 15% des terres si on dope toujours plus les surfaces restantes ?

En dernier lieu, la généralisation des prix bas et le système des aides qui l'accompagne en Occident, génèrent une situation impossible pour les paysans des pays pauvres, qui, eux, ne disposent d'aucune aide, et prennent donc de plein fouet cette baisse des cours, dans le contexte de concurrence mondiale. Cette situation est lourde de menace pour l'autosuffisance alimentaire de l'humanité. Nous y reviendrons également.

Tout le système des taxes, des cotisations et des aides à l'agriculture a besoin d'être revu. Actuellement par exemple, l'agriculteur paie à la MSA (la sécurité sociale agricole) des cotisations basées sur ses moyens de production (surface cultivable corrigée en tenant compte de la valeur de la terre et des types de production, nombre de truies, etc...) et ses résultats financiers. On pourrait imaginer une autre assiette de cotisations, qui incite à casser la logique d'une intensification excessive. Par exemple les cotisations maladie et famille pourraient être supprimées et remplacées par une taxe conséquente sur les engrais, les pesticides et les additifs alimentaires pour le bétail. Cela n'empêcherait pas d'employer ces produits, mais en augmentant leur coût, inciterait à réévaluer leur seuil de rentabilité, et donc à maintenir l'intensification dans des limites plus raisonnables, avec une cascade de conséquences touchant la surproduction, la remontée des cours et le retour de l'agriculteur au sentiment de vivre de son travail. Pour expliquer ce mécanisme, prenons l'exemple de tel épandage d'engrais ou de tel traitement grâce auquel l'agriculteur espère faire passer sa récolte de 80 à 100 quintaux.

Si cet engrais ou ce traitement lui coûte l'équivalent de dix quintaux, l'agriculteur décidera probablement de l'employer pour obtenir vingt quintaux de plus qui lui laisseront donc un bénéfice supplémentaire de dix quintaux. Mais il y renoncera si ce coût passe à un équivalent de vingt-cinq quintaux. Autrement dit, les techniques de base, celles qui sont les plus efficaces, seraient maintenues ; les plus pointues, les plus risquées techniquement, financièrement et tous comptes faits écologiquement, tendraient à disparaître.

De la malnutrition à la malbouffe.

Devons-nous avoir peur de notre assiette ? Les événements récents, vache folle et poulet à la dioxine, boeuf aux boues d'épuration, épidémies de listériose et introduction d'OGM, poussent à ce genre de crainte. Encore faut-il savoir de quoi on parle.

S'il est question de la sécurité bactériologique de ce que nous mangeons, il faut raison garder : notre alimentation est, selon ce critère, plus sûre qu'elle ne l'a jamais été, et de très loin sans doute. L'industrialisation nous fournit en effet des produits on ne peut plus sécurisants. Dans la restauration collective, les normes de sécurité dépassent même souvent le seuil de l'absurde, si ce n'est du scandaleux. Un jour, j'ai proposé au chef du restaurant de mon lycée un arrangement pour porter aux Restos du Coeur les produits encore consommables, mais qui, ayant été sortis des frigos, devaient être jetés (jamais de retour en arrière dans la chaîne). Impossible ! Imaginez qu'on livre ainsi des yaourts, et qu'un bénéficiaire du Resto tombe malade et porte plainte : on remonterait jusqu'au lycée, qui serait condamné. Hop ! On jette.

Les quelques cas de listériose, aussi dramatiques soient-ils pour les personnes atteintes, sont là pour rappeler que, malgré toutes les précautions prises, et qui sont très efficaces, le risque zéro n'existe pas.

Il existe un autre risque, beaucoup plus controversé car beaucoup moins spectaculaire et plus diffus. C'est celui qui est lié aux résidus d'engrais, de produits de traitement des cultures et du bétail, et aux additifs divers. Là-dessus, personne n'est à ce jour en mesure d'apporter de réponse définitive, et cette réponse risque de se faire attendre encore longtemps : en effet, quand pourra-t-on vraiment juger de la nocivité ou de l'innocuité des doses de résidus admises par les normes nationales ou internationales, doses faibles dont l'effet, difficile à isoler, ne peut bien sûr se révéler qu'à long terme ?

En tous cas, ce type de questions est typiquement occidental. C'est bien parce que la malnutrition a disparu de nos pays qu'on peut s'offrir le luxe de se préoccuper, avec raison d'ailleurs, de malbouffe. Et la malbouffe ne concerne pas seulement la sécurité par rapport aux bactéries, aux prions ou aux résidus ; elle concerne toute notre manière de nous alimenter. Les risques alimentaires peuvent être d'un tout autre ordre, se cacher aussi dans les déséquilibres et les excès d'une alimentation trop riche, notamment en sucre et en graisses animales : l'exemple américain est là pour nous le montrer. Une alimentation parfois même trop diversifiée : comment expliquer que les allergies alimentaires souvent très graves chez les enfants se soient multipliées par cinq en seulement quinze ans ? Deux éléments de réponse sont avancés par les spécialistes de la question : en premier lieu, l'alimentation industrielle, en introduisant (souvent à notre insu) une multiplicité d'ingrédients inhabituels, nous expose à autant d'agents allergènes potentiels ; d'autre part, la diversification trop précoce de l'alimentation des bébés pourrait fragiliser tout leur système de défense et les prédisposer à ces allergies.

Si ces risques sont préoccupants, un autre pourrait cependant se montrer autrement redoutable pour l'avenir de l'humanité : c'est celui de la suffisance alimentaire de la planète, suffisance qui n'est toujours pas assurée, même si notre courte vue occidentale, brouillée par la surproduction locale, tend à nous le faire oublier. Dans nos pays, les pratiques culturales modernes qui ont fait exploser les rendements montrent leurs limites et posent quantité de problèmes évoqués plus haut. Mais dans les pays tropicaux, l'impact de ces méthodes est dramatiquement plus nocif, en raison de la fragilité des sols et du caractère moins accommodant du climat : par exemple, après le défrichage de la forêt pour sa mise en culture, il suffit parfois de trois ou quatre ans de culture pour stériliser totalement un sol et le transformer en désert de latérite. Ajoutons à cela : les évolutions à venir du climat, provoquées par le réchauffement de la planète (sécheresses, inondations, cyclones, modifications des aires de répartition des ravageurs des cultures...) ; l'accroissement de trois à cinq milliards d'habitants à la population des pays de l'hémisphère sud, et l'aspiration compréhensible de ces pays à une évolution des habitudes alimentaires vers un rapprochement de nos standards ; l'impact, peut-être encore plus décisif s'il se peut, de la chute des cours mondiaux et de la concurrence effrénée qui ruine l'agriculture du Sud. On peut alors craindre que, sans un radical changement de cap, le problème de la malnutrition ne trouve pas de solution miracle, mais continue de s'aggraver pendant ce siècle.

Les Guignols de l'Info ont un jour fait un parallèle saisissant entre les aspirations légitimes de l'occidental : manger une nourriture sans OGM, et celles d'un habitant du Sud, qu'on ne peut tout de même négliger : manger... tout court.

L'AGE D'OR : HIER OU DEMAIN ?

Où vont tous ces enfants dont pas un seul ne rit ?
Ces doux êtres pensifs que la fièvre maigrit,
Ces filles de huit ans qu'on voit cheminer seules ?
Ils s'en vont travailler quinze heures sous les meules.
Ils vont, de l'aube au soir, faire éternellement
Dans la même prison, le même mouvement.

Victor Hugo, *Les Contemplations*.

Il est toujours joli, le temps passé, ironisait Georges Brassens.

Vraiment ? Joli pour qui ? Au mieux pour quelques-uns, et encore. Le seigneur du Moyen Âge devait s'ennuyer à mort, dans son château fort glacial. Le plus modeste employé français mange aujourd'hui incomparablement mieux, plus sain et plus varié que lui ; il dispose d'un confort sans commune mesure, et reçoit bien sûr une éducation et accède à des loisirs et à une culture très supérieurs ; sans parler des soins de santé ni de l'espérance de vie. Et, le faste excepté, même les conditions de vie de Louis XVI ou Napoléon risquent de ne pas toujours faire le poids face aux nôtres : que faisait le Roi Soleil lorsqu'il avait mal aux dents ?

Et que dire du peuple ? Bien au-delà du Moyen Âge, il reste soumis au bon vouloir et aux caprices du seigneur ; il connaît la famine fréquente, jamais l'abondance, toujours l'ignorance ; la peste parfois, la mort en couches des femmes, la mort de la plupart des enfants, et tant d'occasions de rencontrer misère et souffrance avant de mourir épuisé et vieillard à trente-cinq ans... Et si plus tard, le servage a disparu officiellement, l'ordinaire du peuple ne s'est amélioré que lentement : guère d'autre avenir que de passer toute sa vie à trimer pour le pain et, avec un peu de chance, un toit ; une vie soumise à un destin implacable qui ne laissait presque aucune chance de sortir de sa condition, sinon par le bas, la misère totale due à la malchance, à la maladie, aux brigands ou aux soldats. Le paysan fixé à son champ, peinant à simplement se nourrir les années de mauvaises récoltes ; l'ouvrier seize heures par jour à la fabrique ou à la mine ; et jusqu'au début de ce siècle, l'enfant privé d'enfance, à la mine lui aussi pour y traîner les wagons de houille et parfois pour y dormir et n'en ressortir que le dimanche, ou à la filature, ou à la ferme parfois dans les pires conditions, à moins qu'il ne soit mousse sur les banc de Terre-Neuve où il pouvait connaître l'enfer jusqu'au suicide.

Oui, le passé peut être joli, comme occasion de film de chevalerie ou de capes et d'épées. Dans la réalité aussi pour certains probablement. Et d'ailleurs, le bonheur est au-delà des conditions. Heureusement, car les conditions de bonheur n'ont pas souvent été réunies dans le passé. Et il est permis de se réjouir de vivre à ce tournant de siècle en Occident. Il est permis de se réjouir des progrès accomplis dans tant des domaines. Progrès économique et social : la prospérité et les conquêtes sociales sont allées de pair pour libérer l'homme de la malédiction de devoir passer sa vie à seulement survivre. Progrès des libertés, de la justice et du droit, qui garantit tout de même assez bien contre l'arbitraire. Progrès de l'éducation et de la culture, qui laisse la possibilité de se libérer de son milieu d'origine, et aussi d'éduquer son intelligence, de comprendre la vie et le monde, de devenir un peu plus maître de son destin et de profiter des loisirs offerts. Progrès de la médecine et du système social, qui permet de se délivrer en partie de l'angoisse de la maladie, qui donne des chances sérieuses de vivre sa vieillesse dans de bonnes conditions et de ne pas tomber dans la misère la plus noire pour un banal problème de santé.

Que ces progrès soient parfaits, que leurs bénéfices soient équitablement répartis, certes pas. Ils restent irréguliers, avec beaucoup de ratés, de retours en arrière, de périodes sombres. Ils n'en sont pas moins réels, même si on peut être sincèrement écorché par le spectacle des injustices qui demeurent. Il est vrai aussi que depuis une vingtaine d'années, si le progrès social et politique ne s'est pas arrêté, il s'est doublé -mondialisation oblige, paraît-il- d'une régression dans l'application du droit du travail et de la montée de la précarité et de l'exclusion. Madame Thatcher est passée par-là ; non seulement elle a laissée sinistrée une bonne partie du tissu social britannique, mais elle a aussi fait beaucoup de petits, dont certains sont nés parmi les roses. Bien sûr tous ne se réclament pas de la dame de fer, mais ils sont malgré tout contaminés par son idéologie. Madame Thatcher n'est d'ailleurs pas seule responsable, avec son compère Reagan, de la percée de cette idéologie. Celle-ci est dans l'air du temps. Nous y reviendrons.

Tout de même, oui, ces progrès sont réels, non seulement dans les domaines scientifique, technique, économique et social, médical, culturel, dont on vient de parler et où les avancées sont manifestes, mais également en ce qui concerne la justice, les droits de l'homme, et probablement aussi la morale.

L'idée que tout homme puisse être respecté de manière égale est certainement très mal appliquée dans les faits. Mais elle a au moins l'avantage d'être proclamée officiellement, d'être une référence. C'est tout nouveau. Pensons à la persistance des trois ordres sous l'ancien régime, de l'esclavage jusqu'en 1848 dans les colonies françaises et jusqu'au vingtième siècle en Ethiopie, de l'apartheid si récemment encore. Aussi l'indignation devant les violations des droits de l'homme, devant les massacres et les génocides, aussi inefficace et même hypocrite qu'elle soit parfois, n'en révèle pas moins une prise de conscience impensable aux siècles passés, où les habitudes avaient comme justifié l'injustifiable, et où seuls quelques esprits plus avancés, tels Montaigne, Montesquieu, Voltaire ou Hugo, s'élevaient contre les abus de leur temps.

Non vraiment, aujourd'hui n'est pas pire qu'est-ce qu'hier, loin de là. Dans beaucoup de domaines, c'est même le contraire, de manière évidente. Il est donc malsain et injuste d'embellir un passé mythique pour noircir un présent où tout irait de mal en pis. Mais inversement, il est dangereux de foncer tête baissée vers un avenir invivable où nous entraînerait l'inertie d'une évolution non maîtrisée. C'est faire honneur à ces acquis que de porter un regard critique sur cette évolution.

On n'arrête pas le progrès.

Tout progrès est une marche, une avancée. Encore faut-il savoir vers où. Tout progrès a un coût. Il faut savoir prendre un recul suffisant pour discerner le moment où ce coût l'emporte sur le bénéfice.

A partir du moment où les paysans des années 50 ont utilisé de manière courante des engrais chimiques sur leurs terres, les rendements se sont accrus de manière spectaculaire pour de faibles doses d'engrais. Pour augmenter de plus en plus ces rendements, il a ensuite fallu augmenter les doses dans des proportions considérables, et mettre en œuvre des techniques de plus en plus sophistiquées et coûteuses, jusqu'à ce qu'on en vienne à se demander si toute nouvelle recherche de progrès peut encore être rentable. Il est même facile de dépasser ce point où tout nouveau progrès quantitatif devient en réalité néfaste. Il suffit d'oublier de prendre en compte ou d'évaluer correctement les nuisances induites, en terme de fragilisation des récoltes face aux intempéries et aux ravageurs, en terme de pollution de l'eau, en terme de surcroît de travail...

Lorsqu'un jeune se destine au sport de haut niveau, les premiers effets de son entraînement l'amènent à des progrès rapides. Mais plus il accroît ses performances, plus les progrès sont difficiles à obtenir. Et pour peu qu'il soit dirigé par un entraîneur incompétent, imprudent ou malhonnête, pour peu qu'il manque lui-même de retenue, il peut ruiner sa santé par des accidents dus au surentraînement ou au dopage.

La casse dans la Route du Rhum 2002 illustre cette nécessité de garder la tête froide par rapport au progrès technique. Les architectes de marine ont accompli des prouesses incroyables. Seulement, à viser toujours l'exploit, ils ont oublié qu'un bateau reste d'abord soumis à la mer. Notre société cherche à ressembler toujours plus à un trimaran de course élaboré sur ordinateur. Elle en tire ses performances, mais encore plus sûrement une grande fragilité.

De toute manière, si un champion peut fournir des efforts gigantesques pour gratter quelques centièmes de seconde dans une course, parce que l'enjeu est pour lui au-delà du quantitatif, un tel décalage entre avantages et inconvénients devient absurde dans une activité économique. Combien plus l'est-il encore lorsque la société tout entière est concernée. Les décennies passées ont apporté un mieux-être certain en ce qui concerne la nourriture, le logement, le confort, la santé, la culture et l'éducation. Ces apports ne se sont pas produits sans un coût pour la société : coût humain (ruptures des solidarités traditionnelles, désarroi, problèmes de sens, violences,...), coût écologique (épuisement des ressources, pollution, destruction de paysages, bouleversement climatique...), coût géopolitique (décalage entre sociétés industrialisées et pays où sévit la misère). A chacun de voir si le jeu en valait la chandelle, et surtout si les mêmes résultats positifs n'auraient pas pu être atteints avec des inconvénients moindres. Quoi qu'il en soit, aujourd'hui, nous en sommes là, sans pouvoir refaire l'Histoire. Nous devons désormais réfléchir au sens des orientations futures. En prenant tout en compte, nous devons mesurer dans quels domaines les progrès sont encore possibles et réellement bénéfiques, dans quels autres ils sont inutiles, illusoires et même nuisibles, ne méritant plus ce nom de progrès. Vers où voulons-nous aller désormais ?

Depuis dix ans, depuis vingt ans, les sondages se sont multipliés, qui montrent que pour beaucoup de personnes, on vit moins bien que par le passé. Résultat étonnant lorsqu'on sait que sur les trente dernières années, le pouvoir d'achat moyen des français s'est accru considérablement, de l'ordre de 70%. Résultat qui peut s'expliquer par l'effet de la nostalgie du bon vieux temps où tout était si bien, où on était si jeune, la fascination des années soixante..., et aussi par l'inquiétude sourde devant les risques de chômage et d'exclusion. Mais une autre explication est probablement aussi pertinente : ces surcroîts de consommation n'ont pas réellement amélioré la vie, alors que les nuisances qui les ont accompagnés sont bien mesurées. Les apports des décennies précédentes avaient réellement changé la vie quotidienne, l'avaient rendue plus facile et plus agréable. L'introduction dans toutes les familles de la gazinière, du frigo et du lave-linge ont permis en particulier de libérer les femmes des tâches ménagères harassantes que constituait la cuisine sur le feu de cheminée ou le fourneau à charbon, les courses quotidiennes pour des aliments qu'on n'avait pas les moyens de conserver, la corvée de lessive, même en un temps où on était par force moins maniaque de propreté...

Mais après nous avoir fourni un logement agréable, muni de ces éléments de confort, du chauffage et des sanitaires, après nous avoir apporté les moyens de transport et de loisirs, les nouveautés peinent à tenir leurs promesses d'amélioration de la vie. Que l'électronique ait vu son prix chuter considérablement, tandis que ses performances techniques progressaient tout autant, c'est un fait : elle a pu se répandre pratiquement partout, on a pu multiplier les appareils dans chaque pièce. Et après ? Qu'apporte de plus la chaîne hi-fi de 70 watts, munie d'un chargeur de 25 disques, avec ses diodes qui clignotent ? Son indice de satisfaction est-il supérieur à celui du phono grinçant qui permettait de faire danser le voisinage ? C'est attrayant, certes, c'est fait pour cela. C'est indispensable. L'indispensable s'accumule année après année. Indispensable, c'est ce qu'on dit de beaucoup de choses, à moins qu'on n'en dise rien tant leur présence est devenue naturelle. Tellement naturelle qu'elle laisse un arrière-goût de déception : avant qu'on ne les ait, ces objets prétendent satisfaire un rêve ; ensuite, ils n'apportent guère qu'un quotidien trop quotidien.

Ah, l'indice de bien-être de l'ouvre-boîtes électrique ! Le bonheur rassurant du "micro-ondes" capable de décongeler vite fait bien fait la pizza vivadus, après la longue journée de travail ! Sans oublier la voiture avec lève-vitres électrique et mise en route automatique de l'essuie-glaces… Qui, dans ses rêves les plus fous, pouvait seulement imaginer une telle félicité, un tel progrès de l'humanité, voici seulement cinquante ans ?

Les équipements publics se sont succédés : autoroutes, ronds-points et rocades ont fleuri partout. Pour qu'on circule mieux ? Ces équipements ont du mal à simplement compenser l'augmentation du nombre de voitures due à la nécessité d'aller travailler au diable vauvert et à la généralisation des déplacements de loisirs.

Jacques Attali ne disait guère autre chose quand déjà il écrivait en 1974 les lignes suivantes : *"Au-dessus d'un certain seuil de développement, l'effet global de la croissance économique sur les individus devient donc nul ou très faible ; il risque même de devenir négatif au-delà d'un certain seuil, celui à partir duquel les phénomènes d'encombrement et de pollution surcompensent les améliorations utilitaires".*[3] En d'autres termes, le progrès tue le progrès, devient contreproductif. Il serait intéressant de savoir ce que l'ancien conseiller de François Mitterrand penserait aujourd'hui des propos tenus alors.

---

[3] Jacques Attali et Marc Guillaume, *L'Anti-économique*. (Phrases citées par Michel Albert et Jean Ferniot dans *Les Vaches Maigres*.)

L'empereur est nu.

Un des problèmes majeurs de l'Occident, c'est la perte du sens de la mesure. Sa curiosité insatiable, son insatisfaction chronique, ont été des moteurs efficaces pour favoriser les progrès scientifiques, techniques et sociaux accomplis depuis la Renaissance. Ils forment également un puissant anesthésiant administré à son sens critique : le progrès porterait son sens en lui-même, et il serait inconvenant de s'interroger sur la direction qu'il prend et sur la réalité des bienfaits qu'il propose. Dans les années 60-70, il fallait être marxiste. Hors de l'idéologie dominante, on ne pouvait être qu'un crétin et un réactionnaire. Aujourd'hui, l'idéologie moderniste a remplacé le marxisme d'alors. Le positivisme de la fin du dix-neuvième siècle a été relooké vingtième ou vingt-et-unième. Qui n'est pas béat de dévotion devant les nouvelles technologies se fait regarder comme un extraterrestre.

La France est très en retard en ce qui concerne l'équipement en scies sauteuses. Seuls 17,5% des ménages possèdent un tel appareil. Mais des progrès sont possibles dans ce domaine, et on pense pouvoir amener le taux d'équipement à 70% dans les cinq ans.

Imaginez cette annonce au journal télévisé : elle aurait de quoi laisser perplexe. C'est une plaisanterie ou quoi ? Pourquoi vouloir placer une scie sauteuse dans chaque famille ou presque, où elle n'a probablement rien à faire ? A quoi bon un tel outil pour qui n'a ni le goût ni l'occasion de bricoler ?

C'est pourtant avec ce genre d'information qu'on nous a rebattu les oreilles pendant des années. Mais à propos des nouvelles technologies bien sûr : le taux d'équipement des français était trop faible, mais on avait bon espoir de rattraper ce retard, bla-bla-bla... et tout le monde de se mettre à cette entreprise de bourrage de crâne, journalistes et ministres en tête. Il ne restait qu'à opiner docilement, sans jamais poser la question du pourquoi. Pourquoi diable faut-il que chaque famille soit munie d'un ordinateur et branchée sur le net ? La réponse ne va pas de soi, ce n'est tout de même pas un article de foi, elle mérite d'être discutée. Sinon, on est amené à penser que l'utilité d'un ordinateur, (ou d'un téléphone cellulaire, ou de...) c'est simplement de faire la fortune des fabriquants et des vendeurs d'ordinateurs. On ne sait toujours pas à quoi pourra servir la prochaine génération de téléphone portable, mais il importe de *créer des besoins.* Créer des besoins ! On ne fait que cela depuis des lustres : créer des besoins qui sont autant de fils à la patte. Et la liberté de chacun ? Il devrait être permis de se demander où se trouve réellement le progrès là-dedans, sans se contenter des réponses convenues du genre : *c'est indispensable, on ne peut plus s'en passer..., c'est comme ça, c'est la marche des choses, c'est l'avenir*, et surtout, *ça crée des emplois...* Ah, j'oubliais : *c'est indispensable pour les enfants de se familiariser avec ces outils de la réussite*. Les arguments qui tuent... En réalité, où est le progrès *réel*, c'est-à-dire : en quoi cela apporte-t-il un mieux véritable pour les gens ? En quoi cela les rend-il plus heureux, plus épanouis, plus créatifs, plus solidaires, plus libres, plus intelligents devant les évolutions du monde, plus responsables d'eux-mêmes et des autres ? En quoi cela les aide-t-il à trouver un sens à leur vie ? En quoi cela accompagne-t-il le progrès général de l'humanité ? Quel progrès *réel* peut-on attendre dans notre vie et dans celle de nos enfants, en balance avec les effets pervers, avec l'hypertrophie des besoins et la déconnection du réel ? Les nouvelles technologies, ouverture au monde. Automatiquement ? Sans rire ? Les nouvelles technologies, secret de la communication et lien entre les hommes. Bien, on disposera désormais d'Internet pour crier son mal de vivre à SOS-Amitié.

Qu'il est fier et digne, l'empereur, dans ses habits neufs. Des habits si légers à porter. Et si magiques, puisque les imbéciles et les incompétents ne doivent pas les voir. Tout le monde applaudit et vante sa belle allure, ses beaux habits si ravissants. Dis, maman, pourquoi il est tout nu, l'empereur ?...

Qu'il est beau et fier, notre monde, drapé dans sa technologie et son commerce. Une utilité si impalpable parfois. Seuls les niais pourraient se poser des questions sur cet emballage de vent et de néant qui entoure l'utile et le meilleur. Dis maman, pourquoi çà sert à rien, tout çà :

Des tas de couverts
Et des pelles à gâteaux
Mon robinet à glace

Ma tourniquette
Pour faire la vinaigrette
Le ratatine-ordures
Et le coupe-friture...

Avec d'autres mots que Boris Vian dans les années 50, une petite indienne exprime le même désarroi face au mode de vie occidental, aux derniers temps de la colonisation anglaise :

La maison était trop pleine de choses. *La plupart de ces* choses *étaient précieuses, au dire de Mrs Lindsay, ce qui signifiait qu'il ne fallait pas y toucher. Mrs Lindsay passait un temps fou à penser à ces* choses, *à les montrer aux visiteurs, à les faire astiquer par les bonnes. Elle mourait de peur à l'idée qu'on les casse ou qu'on les vole... Pour Savitri, c'était un mystère. En tous cas, la maison était à ses yeux un énorme entassement de* choses *et elle n'aimait pas y entrer.*[4]

L'effet NIMBY

L'Occident a le plus grand mal à rester critique à propos de la finalité du progrès. S'il exige avec candeur les facilités qu'il croit pouvoir en retirer, il rechigne volontiers à assumer les nuisances engendrées. Apitoyons-nous sur la raréfaction des baleines et des éléphants. Mobilisons-nous contre la construction de l'autoroute qui menace la forêt de nos promenades dominicales, en réclamant toujours de nouvelles autoroutes pour partir plus rapidement. Battons-nous contre l'agrandissement de l'aéroport ou la construction de la centrale nucléaire à proximité de notre domicile, sans mettre aucun frein à l'habitude ou au désir de prendre l'avion pour les vacances, ni à l'insouciance devant les gaspillages d'énergie. Refusons à toutes forces de voir s'installer dans notre champ de vision une tour de transmission pour téléphone portable, tout en râlant contre la présence des zones d'ombre qui perturbent l'utilisation de notre propre appareil. Crions contre les agriculteurs-pollueurs, sans réaliser que nos exigences alimentaires induisent les grandes lignes de ce type d'agriculture. Plaignons-nous de la pollution des villes, fulminons devant

[4] *Noces Indiennes*, par Sharon Maas (Flammarion)

l'immobilisme des pouvoirs publics face à l'effet de serre, sans accepter l'idée de raisonner quelque peu notre chauffage ou l'usage de notre voiture.

Cet état d'esprit, c'est ce que les Anglo-saxons nomment l'effet NIMBY, *not in my back yard*, pas dans ma cour, pas dans mon jardin. Autrement dit, loin de moi les effets indésirables de mon comportement. Je me charge de remplir mes poubelles, et à la rigueur je veux bien les trier. Trouvez un endroit pour les vider, et ne m'en parlez plus. Ne me parlez plus de ce que vous en faites, et surtout, ne me demandez pas pourquoi j'ai tant de choses à y mettre. Et voilà, tant de NIMBY côte à côte, cela aboutit à une inconscience collective totale.

Après l'explosion de l'usine d'engrais de Toulouse, en septembre 2001, les populations voisines des usines classées Seveso se sont mobilisées, à juste titre, et les politiques ont fait chorus, pour réclamer la disparition de ce type d'installation. Qu'elles soient éloignées des villes, cela paraît la moindre des choses. Mais peut-on éluder les questions plus globales : sommes-nous décidés à renoncer aux produits de ce type d'industries, engrais et peintures, produits de traitements pour piscines et carburants, et à tout ce qui fait notre confort ? Et sinon, où placer ces usines ? Au milieu de la Beauce peut-être, ou dans le parc des volcans d'Auvergne ? Où encore dans quelque pays d'Afrique ou d'Asie du Sud, où on ne sera pas trop regardant sur les conditions de sécurité, voire sur quelques milliers de morts, comme à Bhopal.

Un beau jour, un petit village tranquille de Picardie apprenait qu'il était retenu pour la construction du troisième aéroport de la région parisienne. Vers la même époque, les habitants de Chamonix étaient informés de la réouverture du tunnel. Remous dans les chaumières, on comprend pourquoi. Pourquoi les uns doivent-ils être les sacrifiés de l'explosion du trafic aérien ? Pourquoi les autres doivent-ils subir le chassé-croisé des camions de papier hygiénique allant de France en Italie et vice-versa, et des camions de patates produites aux Pays-Bas et épluchées en Italie ? Que je refuse d'être le dindon de ces stupidités, bien sûr, mais surtout, que ces stupidités cessent. Il ne suffit plus de dire : pas chez moi !

L'ASCENSEUR SOCIAL

Depuis longtemps ils en rêvaient
De la ville et de ses secrets
Du formica et du ciné.
Jean Ferrat.

A un fils de paysans modestes, né au milieu du siècle et devenu "flic ou fonctionnaire" (nous sommes nombreux, les fils et filles d'agriculteurs devenus enseignants, en particulier), il n'est nul besoin d'expliquer la notion de croissance ni celle d'ascenseur social : il a en effet vécu les deux, de manière évidente. Il a vécu son enfance dans un milieu qui n'était sans doute pas celui des damnés de la terre, mais n'en offrait pas moins un contraste saisissant avec ce qu'il peut connaître aujourd'hui. Les logements étaient le plus souvent sans confort, sans intimité, plus faits pour y manger et y dormir que pour y vivre (une enquête de l'INSEE de 1954 révèle que, parmi les habitations des paysans de l'Ouest, 40% n'avaient qu'une seule pièce, 42% n'avaient pas l'électricité, 92% n'avaient pas l'eau courante, et 99% n'avaient aucune installation sanitaire[5]). Consommation réduite à sa plus simple expression ; même dans les milieux modestes, la génération suivante ne peut l'imaginer. Six jours et demi de travail par semaine, *"et sans vacances et sans sorties"*. Une vie frugale, certes, difficile souvent. Peut-on pour autant décréter qu'elle était plus ou moins heureuse, plus ou moins épanouie que celle qui est vécue quarante ans plus tard ? C'est bien difficile de juger. En tous cas, grâce notamment à un système de bourses favorable à l'époque aux enfants d'agriculteurs (il fallait accompagner l'exode rural), il a pu faire des études, porté par une culture du travail omniprésente en lui, et aiguillonné par le sentiment de devoir compter d'abord sur lui-même pour s'en sortir.

Ou alors, il a pris la suite de ses parents et est devenu chef d'exploitation. Le changement de terme en dit long sur le changement de statut social et de conditions de vie : les logements des agriculteurs

---

[5] Chiffres cités par Louis MALASSIS, *La longue marche des paysans de France* (Fayard)

actuels ne laissent rien à désirer par rapport à ceux des autres classes moyennes, et si les horaires de travail restent fort différents, si les vacances sont moins longues que pour les salariés, elles sont devenues normales. D'ailleurs, le conjoint est souvent salarié. Pour beaucoup de ces agriculteurs actuels cependant, cette évolution est allée de pair avec une autre, moins réjouissante, qui les a conduits à des endettements dramatiques et au surmenage constant, et souvent à la solitude.

Parallèlement à ce changement de classe sociale, le fils de paysans a connu, en accédant aux classes moyennes, l'accroissement du niveau de vie de ces mêmes classes moyennes. Le ressenti de la croissance a donc été pour lui d'autant plus évident.

Ce ressenti est certainement beaucoup moins fort pour celui qui est né à la même époque dans une famille de cadre ou de profession libérale, et qui est resté, globalement s'entend, dans son milieu de classe moyenne, un peu plus haut dans la hiérarchie que ses parents peut-être. Son logement est comparable à celui de son enfance, même s'il est enrichi d'un équipement électroménager de plus en plus complexe. Ses vacances ne diffèrent sans doute pas tellement de celles de son enfance, en location ou dans la villa familiale à la mer, plus rarement à la neige. Né dans les étages supérieurs, il n'a pas été emporté par l'ascenseur social, alors que celui-ci a fonctionné à plein pour ceux des étages inférieurs, qui viennent donc lui faire concurrence pour ce qui est du prestige de l'appartenance à une classe privilégiée.

Aujourd'hui, du fait de l'élargissement de la classe moyenne, le fameux ascenseur social est bloqué, mécaniquement : ils sont très peu nombreux ceux qui peuvent espérer passer de la classe moyenne à la haute bourgeoisie : les places sont rares et bien gardées contre les intrus. Seuls les enfants des nouvelles catégories pauvres –mais elles sont moins nombreuses, quoi qu'on en dise– peuvent être candidats pour entrer dans cet ascenseur. Et maintenant, il faut davantage jouer des coudes, l'étage convoité étant déjà bien rempli. De plus, dans la culture de la société rurale ou ouvrière du milieu du siècle, le travail était une valeur centrale ; il n'en est plus de même dans une société urbaine minée par le chômage et la précarité, et marquée dans certains cas par une culture de débrouille, voire d'illégalité, peu motivante pour un effort durable de promotion personnelle.

Cette situation de blocage peut engendrer frustrations et rancœurs. D'autant plus que le ralentissement de la croissance lors du dernier quart de siècle fait ressentir, comme il a été dit plus haut, que le niveau de vie se dégrade, alors qu'objectivement, il s'améliore globalement et fortement : on a rappelé que depuis une trentaine d'années, le pouvoir d'achat a augmenté de 70% environ, et même si trop de gens sont restés en marge de cette augmentation, ce n'est pas rien. Et on peut craindre que ce sentiment de frustration ne soit pas le meilleur climat pour aborder au mieux les défis réels de l'avenir.

La génération du baby-boom a connu une jeunesse privilégiée à beaucoup d'égards : au plan matériel, elle a bénéficié de conditions beaucoup plus faciles que la précédente, en particulier au sein des classes modestes qui constituaient la majeure partie de la population. Au plan social et professionnel, elle n'a pas eu de difficultés particulières pour s'insérer dans la société et, comme il vient d'être dit, pour s'y insérer le plus souvent à un niveau supérieur à celui de ses parents.

La génération suivante vit aujourd'hui sa jeunesse dans des conditions beaucoup plus complexes. D'un côté, elle continue à profiter -globalement, bien entendu- de conditions matérielles toujours plus comblées, elle accède à un niveau de consommation inimaginable pour ses parents au même âge. Le pouvoir d'achat des 7-15 ans, le total de leur argent de poche, dépasserait les deux milliards et demi d'euros. Mais d'un autre côté, elle rencontre ces difficultés trop connues, dans son insertion par le travail notamment, où le niveau de compétition s'est singulièrement accru en une génération. Et on peut craindre que la facilité matérielle dont elle bénéficie ne soit pas la meilleure préparation aux difficultés qu'elle pourra rencontrer. Le fait pour beaucoup de jeunes de n'avoir pratiquement jamais eu de travail physique à réaliser dans leur enfance, pas même la vaisselle, ni le trajet de deux kilomètres à pieds ou de quatre à vélo pour aller à l'école, le fait d'avoir toujours disposé de tout le confort, les amène facilement à considérer que la chaîne hi-fi personnelle fait partie du strict minimum vital, et qu'un éventuel refus parental d'offrir la dernière playstation doit être considéré comme un acte de maltraitance. Au-delà de la menace de vide existentiel, une telle manière de voir la vie risque fort de les laisser désemparés et traumatisés devant la moindre difficulté matérielle à affronter, et frustrés devant l'impossibilité d'obtenir immédiatement la satisfaction de tout désir.

Côtoyant de jeunes parents, je suis frappé de la façon dont beaucoup d'entre eux éduquent leurs enfants. Les chers bambins, hyperactifs, vibrionnent sans aucun répit autour de leurs parents, dont ils ne savent s'éloigner trois minutes : il leur faut ci, il leur faut ça... Et les parents répondent. Parfois, excédés, ils s'énervent, menacent, exigent. Ils exigent une fois, deux fois... Le gamin n'en a cure : il sait qu'à la quatrième "exigence", le parent va abandonner. Ce n'est jamais une sinécure d'être parent, mais dans ces conditions, c'est un métier particulièrement usant. Et le constat est fort inquiétant : il explique notamment l'épuisement des professeurs de collège, harcelés par des hordes d'Attilas en baskets, et de plus en plus celui des enseignants de primaire et de maternelle. Le phénomène de l'enfant-roi semble prendre une ampleur de plus en plus alarmante. Alarmante car, comme le souligne le sociologue Louis Roussel, *"faire de l'enfant un roi, c'est l'empêcher de grandir"*. Les enfants qui reçoivent une véritable éducation, avec une réelle solidité face à eux, un parent capable de leur dire "non" de manière ferme quand il le faut, de leur fixer des limites, et ainsi de leur permettre de se structurer et de devenir autonomes, de tels enfants semblent devenir l'exception. Comment en est-on arrivé là ? Culpabilité de parents qui se sentent indisponibles et cherchent à compenser en laissant tout faire ? Hantise de provoquer frustrations et complexes, suite à la lecture mal digérée de trop d'ouvrages de vulgarisation psychologique présentant en trois leçons l'éducation à la lumière de la psychanalyse ? Ou simplement soumission au vent dominant, de plus en plus prégnant il est vrai ?

Très récemment encore, l'être humain basculait sans transition et de manière prématurée de l'enfance à l'âge adulte par le travail trop précoce et beaucoup trop dur. L'enfant s'est ainsi vu déposséder de son enfance jusqu'au dix-neuvième siècle, jusqu'au milieu du vingtième dans certaines classes sociales, et jusqu'à aujourd'hui dans de trop nombreux pays (on estime que le nombre d'enfants de moins de quatorze ans au travail dans le monde dépasse les 250 millions et ne fait qu'augmenter). A contrario, le jeune européen est en quelque sorte dépossédé aujourd'hui de son entrée progressive dans sa responsabilité d'adulte par le prolongement d'une adolescence qui s'éternise : c'est ce drame que le film *"Tanguy"* a mis en comédie. Comme d'autres progrès, l'avancée du droit de l'enfant montre ici son revers : si le travail des enfants tel qu'il a été et tel qu'il est encore pratiqué est un scandale, la couvaison prolongée du jeune dans un cocon de facilité matérielle et d'irresponsabilité est une mauvaise manière de structurer l'esprit, une triste et pitoyable préparation à la vie, notamment la vie citoyenne.

L'accroissement fabuleux du niveau de vie global qui a marqué en Occident le siècle passé, et plus encore sa seconde moitié, peut encore durer quelques années. Quelques décennies ? Peut-être. Mais il se tarira tôt ou tard. Nul ne peut prévoir l'ampleur du déclin, ni la forme qu'il prendra. Nul ne peut prévoir la réaction des populations devant la raréfaction des richesses. Dans leur ouvrage *"Comment être un névrosé heureux" (Odile Jacob),* John Cleese et Robin Skinner constatent que l'attitude des populations peut être diverse face à l'adversité. Les sociétés les plus saines se serrent les coudes face aux difficultés, et misent sur la solidarité : c'est la voie la plus fréquente dans les sociétés traditionnelles. Mais ils citent une tribu de l'Ouganda, celle des Iks, qui a pris une voie diamétralement opposée lorsque les frontières nées de la décolonisation de l'Afrique ont restreint dramatiquement ses territoires de chasse, en la réduisant à la disette. Au lieu de faire front pour trouver une solution à leurs difficultés, les Iks se sont repliés sur un individualisme forcené. La solidarité tribale, et même la solidarité familiale, ont volé en éclats. Les chasseurs ont commencé à dévorer sur place le gibier qu'ils pouvaient encore trouver, laissant les femmes, les enfants, les vieillards se contenter des restes, s'il y en avait. Les sentiments de compassion envers les plus faibles ont fait place à l'indifférence et même à la cruauté gratuite. On jetait les enfants dehors à trois ans, on laissait les nourrissons s'approcher du feu pour s'y brûler devant l'assemblée hilare. Pour survivre, les enfants s'organisaient en gangs rivaux et violents, où régnait la trahison des amitiés. Cette évolution infernale des Iks fait froid dans le dos. Serons-nous assez "civilisés" pour échapper toujours à ce genre de chaos suicidaire ?

Plus précisément, comment la génération actuellement aux commandes, celle du baby-boom, de la croissance et de l'ascenseur social à plein régime, va-t-elle répondre au défi des prochaines décennies ? Par le repli sur ses privilèges, par une attitude de nouveau riche plein d'arrogance, montrant les crocs devant ses avantages acquis, comme un chien devant son os ? Ou, ayant goûté les bienfaits mais aussi mesuré les limites de l'évolution connue pendant sa vie, par une attitude de détachement et d'ouverture ?

Comment la génération de nos enfants réagira-t-elle à son tour face aux mutations nécessaires, elle qui n'a connu dans la majorité des cas que la prospérité matérielle, même teintée d'inquiétude profonde ? Par l'inconscience du gosse de riche incapable d'imaginer que tout ne lui est pas dû ? Ou, ayant épuisé les délices du gaspillage, de l'éphémère et du superficiel, par une recherche de profondeur et de solidarité durable avec le monde entier ? Peut-on attendre sereinement la réponse, en continuant à tout mettre en œuvre pour préparer des enfants sans repères, sans structure intime, à devenir des non-adultes, sans colonne vertébrale, sans autonomie véritable, irresponsables, bardés de droits mais ignorants du sens du moindre devoir, accrochés aux basques de la société comme ils l'ont été trop longtemps aux jupes de leur mère ? Oui, comment cette génération réagira-t-elle, si nous en faisons une génération d'enfants rois ?

Quel est le sens de la vie ? A quoi sert-il de vivre ? Pendant longtemps, la question n'avait probablement aucun sens pour l'immense majorité des hommes, tellement la réponse allait de soi : la vie, c'est survivre. Survivre à la misère, à la faim, aux mauvaises récoltes, à la guerre, à la malchance, à la fatalité. Faire en sorte que les enfants puissent avoir un morceau de pain. Ce n'est que lorsque l'étau des difficultés a commencé à se desserrer que le sens de la vie a pu changer un peu : la vie, c'est que demain soit un peu meilleur, que les enfants surtout vivent mieux que leurs parents. Qu'ils puissent peut-être connaître des lendemains qui chantent. Sortir de la mine dont la poussière ronge les poumons pendant les journées interminables, sortir des taudis, quitter cette condition de paysans à genoux pour gratter la terre, à genoux aussi devant le maître, à genoux devant le destin.

Le vingtième siècle a permis ces avancées, en Occident en tous cas. Il a libéré de la fatalité de la misère, de la faim, de la maladie, de l'ignorance. Il a permis de grimper dans l'ascenseur social, d'échapper à sa condition. Il a libéré la femme, apporté loisirs et consommation. Ce progrès des conditions de vie a constitué le but du siècle passé. Aujourd'hui, ce but est atteint chez nous pour une très large part, dépassé souvent même. Les résultats semblent parfois menacés. Ils sont très mal répartis. Mais ils sont là et bien là, et devant l'impression d'avoir atteint son but, l'occidental semble ne plus savoir dans quelle direction aller. La survie est acquise. Consommation, sécurité, santé ? Oui, mais toutes les assurances, toutes les précautions pour parer à l'imprévisible ne suffiront pas à apporter une réponse à ces questions, informulées peut-être, mais que le tourbillon de la vie laisse intactes : où vais-je ? A quoi bon tout cela ? A quoi ça rime ?

Le fait d'échapper à la misère était en soi une bénédiction. C'est devenu une banalité, et c'est bien. Mais cette chance s'en est trouvée dévaluée. Le bonheur est finalement une idée assez neuve. Auparavant, l'accent était mis avant tout sur le devoir : il fallait être un bon fils, un bon travailleur, une bonne épouse et une bonne mère, un bon père de famille, un bon soldat ou un bon citoyen… Cela n'allait pas toujours sans frustrations. Le vingtième siècle a progressivement légitimé le droit au plaisir, au bonheur. Avancée capitale. Aujourd'hui, le devoir a changé d'objet : c'est la recherche du bonheur qui est devenue une course-poursuite quotidienne obligatoire. Il n'est plus question de ne pas mettre en œuvre tous les moyens pour être heureux : consommation et confort, perfection de la santé et de la beauté, épanouissement professionnel, prouesses sexuelles et sérénité personnelle. Mais, de maison superbe en voiture époustouflante, de tournée gastronomique en route des vins, de soirée étourdissante en vacances de rêve, de jogging obligatoire en régime amincissant et en chirurgie esthétique, de fantasme de célébrité en recherche de pouvoir, de prozac en viagra, cette recherche épuisante, angoissée et culpabilisante d'un bonheur présentable, conforme aux modèles à paillettes présentés sur les plateaux de télévision, est probablement le plus sûr moyen de passer à côté de son objectif.

Le paradis communiste voulait faire le bonheur des gens malgré eux. La société de consommation ne se contente pas de promettre le bonheur, sans le définir d'ailleurs, mais elle en fait une obligation tyrannique : le non-bonheur devient une sorte de maladie honteuse, un échec inavouable, une déviance suspecte. Cette approche fait moins de morts assurément, mais elle fait grossir fatalement son lot de déçus, de frustrés, de déprimés, de désespérés, d'inadaptés : on ne vend pas le sens de la vie sous film plastique, et les recettes proposées montrent leurs limites.

Il reste à revendiquer la liberté de conduire sa vie, de lui donner son sens, en dehors des chemins trop balisés.

DES LENDEMAINS QUI DÉCHANTENT

Ce sont les enfants qui portent le fardeau de nos turpitudes, depuis la création du monde
Michel del Castillo.
Les étoiles froides.

Depuis les premiers économistes libéraux des dix-huitième et dix-neuvième siècles, on a voulu nous expliquer que l'égoïsme et la cupidité de chacun produisait la prospérité de tous. Le triomphe de l'économie de marché est là pour conforter cette thèse. C'est oublier toutefois que quelque chose est fondamentalement différent aujourd'hui. Jusque vers les années 1980, cette idéologie selon laquelle les vices personnels engendraient un bien collectif était rééquilibrée par des contre-pensées. C'était l'affirmation de la nécessité d'aller vers plus de justice sociale, de tenir compte des plus faibles, d'effectuer une certaine redistribution des richesses, affirmation maintenue vivante sous différentes formes par la tendance sociale-démocrate, par le syndicalisme, et par le fond chrétien de la société. C'était la persistance d'une morale qui, malgré une bonne dose d'hypocrisie, tendait à modérer efficacement cet égoïsme réputé nécessaire à la réussite économique, et à promouvoir un autre ensemble de valeurs. C'était la présence d'un autre système, celui de l'économie dirigée, dont la seule présence, même pervertie, offrait une concurrence salutaire et un contrepoids idéologique : face au paradis socialiste, le paradis capitaliste ne pouvait se contenter d'être celui de la consommation et se devait d'être un peu social. Tout cela refrénait de fait un trop grand cynisme dans l'affirmation du "chacun pour soi" et du "mort au faible" qui constitue le credo libéral.

La théologie nouvelle.

Plus rien de tel aujourd'hui. L'emprise de l'idéologie libérale est presque totale. Les autres systèmes économiques et politiques ont sombré corps et biens : le système soviétique dans la débâcle que l'on sait ; la majeure partie de la social-démocratie s'est plus ou moins sabordée et continue jour après jour d'afficher ses reniements et ses renoncements, ayant rejoint le camp de la soumission au Marché, se qualifiant elle-même de sociale-libérale (ce qui est aussi cohérent qu'un cercle carré) ; la morale sociale chrétienne n'est plus guère présente dans la vie publique qu'à l'état de traces ; seule une certaine extrême-gauche trotskiste a gardé une fidélité farouche dans sa contestation anti-libérale, rejointe par une partie de la mouvance écologiste et de ce qui reste de communiste, mais sans parvenir à peser face à la déferlante libérale.

Résultat ? Le dogme libéral n'a plus de vis-à-vis crédible. Il peut se permettre de triompher, et ne s'en prive pas. Dans les universités et les écoles de commerce, dans la presse et dans le monde politique, la théorie libérale, qui n'est pourtant qu'une croyance parmi d'autres, s'impose comme une vérité scientifique, à moins que ce ne soit comme une vérité révélée. La mondialisation libérale serait tombée du ciel en détruisant le monde ancien, comme la comète qui a jadis anéanti les dinosaures. Pourtant, rien n'est plus faux : cette forme de mondialisation a été décidée, et a été rendue possible et triomphante par les décisions et les renoncements des états et des institutions internationales. D'où vient, par exemple, le pouvoir de la Commission Européenne à démanteler avec enthousiasme tous les services publics ? Quelle loi naturelle oblige donc l'Europe à s'enfoncer dans cette voie ? Et accessoirement, quand les citoyens européens ont-ils été clairement consultés à ce sujet ?

On nous dit, on nous répète jour après jour qu'il n'y a pas d'autre voie possible. Il est vrai qu'il est facile de sortir le dentifrice de son tube, mais qu'ensuite, il est beaucoup plus difficile de l'y faire rentrer. Ayant créé le monstre de la mondialisation libérale, qui est devenu leur maître, les états essaient de justifier leur imprudence passée et leur impuissance actuelle en les recouvrant d'une justification scientifique. L'emprise de cette nouvelle religion, de cette idéologie masquée qui impose la pensée unique, porte atteinte à la laïcité de la république, à la vraie liberté de penser, de manière autrement plus grave que quelques foulards dans les collèges.

Les forces censées conduire l'économie (ne parlons donc plus de politique, celle-ci s'étant suicidée devant l'économie) sont toutes de la même eau : c'est la loi du plus fort, du plus habile, du plus "tueur". Pour monter une fortune colossale, restructurez et licenciez à tour de bras, délocalisez là où on n'a jamais entendu parler de droit du travail ou de respect de l'environnement, alignez les OPA. Et si tout cela ne suffit pas, versez des pots-de-vin, montez des accords pour mettre à genoux la concurrence et faire ramper les producteurs. Et bien sûr, pesez de tout votre poids pour faire abolir les derniers obstacles, les derniers archaïsmes, les dernières entraves à la concurrence, en un mot, les dernières réglementations, forcément rétrogrades. Faites en sorte qu'on finisse de tout dé-ré-gu-la-ri-ser. Enfin, la liberté totale. On en perçoit les résultats : Enron, Vivendi Universal, Elf, incompétences sans contôle, scandales financiers et escroqueries portant sur des milliards de dollars. Puisque la cupidité de chacun fait la prospérité générale, nous avons toutes les raisons d'être rassurés : nous allons être de plus en plus riches.

Du passé faisons table rase... Nous voyons comment les libéraux, qu'on croyait à droite, rejoignent si facilement les libertaires placés à l'ultra-gauche. Ah, nous voilà très loin de la vieille droite pétainiste : il faut vivre avec son temps. Il y a là matière à attraper le tournis : les catégories de pensée, déjà mises à mal par la présence du "socialisme réel" (Staline, c'était la gauche ou la droite ? Et Brejnev, c'était le progrès ou l'immobilisme ?) se mettent à valser. On croyait que la gauche, c'était le mouvement et la droite, le conservatisme. Tout s'inverse. La droite libérale est maintenant la tendance qui prône les réformes, voire la révolution, même si cette révolution consiste en une formidable régression qui doit faire revenir en fait aux conditions sociales du dix-neuvième siècle. La gauche qui ose rester attachée à ce qu'elle considère comme des valeurs de gauche se fait traiter de ringarde ou d'archéo ; et de fait, voulant défendre un minimum de règles sociales, elle se montre conservatrice, ne sachant plus trop comment regarder l'avenir. En juillet 2002, un sondage CSA demandait d'ailleurs aux personnes interrogées si elles préféraient une gauche *"plus à gauche combattant la mondialisation néolibérale"* à une gauche *"moins à gauche donnant la priorité à la modernité"*. Tout est dit : la modernité ne peut être que libérale !

On a tant ironisé sur le système soviétique, sur son absence de concurrence qui provoquait inefficacité et pénuries. Aujourd'hui, d'OPA en regroupements, de participations croisées en rachats, trois ou quatre chaînes d'hypermarchés se partagent l'essentiel du commerce national, étranglant les producteurs avant de dicter totalement leur loi aux consommateurs. Combien d'années suffiront pour qu'une seule chaîne étende son monopole, même camouflé derrière quelques enseignes différentes ? Le communisme est mort, vive le communisme ! Et Monsieur Sylvestre de la *World Company* peut s'exclamer : le communisme, ça marche, il suffit de le privatiser !

Bien sûr, ce nouveau totalitarisme de la pensée n'envoie pas au goulag, et on doit lui en savoir gré. Mais il a acquis les réflexes de la pensée stalinienne : il est si sûr de lui que toute contradiction est assimilée à la démence. Les dissidents étaient enfermés en hôpital psychiatrique, car c'était folie de s'opposer au socialisme scientifique. Aujourd'hui, comment peut-on être assez fou pour mettre en doute la pensée unique libérale qui fait de la loi du marché la nouvelle loi de la gravitation universelle ? Il n'existe qu'un mode de pensée autorisée. Peut-on répliquer à Alain Minc ? Et si Jean-Marie Messier, nouveau messie, est tombé, sacrifié face aux pesanteurs de l'homme ancien, d'autres grands prêtres surgissent pour présider aux destinées de la nouvelle religion, face à laquelle l'individu n'a plus qu'une attitude dévote possible : produire, consommer, investir. Vous consommez davantage ? C'est que vous avez le moral. Vous consommez un peu moins ? Oh lala ! Vous faites chuter le "moral des ménages", vous êtes déprimé, il faut me soigner cela.

Merci docteur !

Invasion et résistance.

Et pourtant, malgré les bulldozers de la pensée unique, quelques gaulois résistent encore et toujours à l'envahisseur. Le libéralisme n'a pas encore donné tout son fruit aseptisé, calibré, emballé, publicisé, mais le ver est dans ce fruit. Quelques journalistes osent se montrer hérétiques à l'Église Libérale ; leur repaire est au Monde Diplomatique, dans des mouvements comme ATTAC, dans l'émission "Là-bas si j'y suis" sur France Inter, et chez quelques penseurs encore assez rares, mais dont l'audience grandit. Bernard Maris et Philippe Labarde ironisent : *"Ah ! Que la guerre économique est jolie !"* Jean-

Claude Guillebaud invite à *"La refondation du monde"*[6], étudiant de manière remarquable la situation actuelle, et proposant des solutions par un retour à une vraie politique. Voici quelques années, l'AMI (Accord Multilatéral d'Investissement) a failli s'imposer en catimini afin de livrer pieds et poings liés les états au bon vouloir des multinationales. Avouant leur impuissance, les principaux responsables politiques mondiaux s'en seraient accommodés, mais l'opinion publique internationale alertée a montré qu'elle n'était tout de même pas prête à avaler n'importe quelle couleuvre ; elle a obligé les si modestes gouvernants à exister pour une fois face au "Marché", et à s'opposer à cet accord, qui pour l'instant est donc abandonné. Mais voilà que l'AGCS (Accord Général sur le Commerce des Services) signé, lui aussi très discrètement, en 1994, repointe son nez en 2003, avec l'objectif de privatiser tous les services (jusqu'à l'éducation et la santé, de préférence). Tous les droits sociaux (SMIC, Sécurité Sociale, emploi des handicapés...), tous les critères environnementaux (qualité de l'eau, desserte des localités isolées, espaces naturels...) sont susceptibles de gêner le commerce des services. Combien de temps pourront-ils être tolérés ?

Après Seattle, Davos, Nice, Gênes, toutes ces conférences de l'OMC, ces réunions du G8, ces forums internationaux pour les grands de la politique et des affaires, il reste donc du travail à la société civile, pour introduire quelques dissonances dans le concert de la pensée unique, et montrer que tout n'est pas dit sur ce sujet. Rendez-vous au sommet de Cancun, en septembre 2003.

L'issue de la croisade menée par la tendance libérale intégriste en faveur de la régression sociale n'est donc pas totalement acquise. Et les partisans d'une autre régulation mondiale ont reçu un soutien de poids, en la personne de Joseph Stiglitz, Prix Nobel d'économie 2001 et ancien vice-président de la Banque Mondiale (excusez du peu). Outré de constater que *"Parmi les indicateurs du FMI, il y a les réserves de changes ou le taux d'inflation, jamais le nombre de pauvres"*, il a démissionné de son poste prestigieux au début de l'an 2000, afin de se consacrer à la défense d'une voie plus humaine pour

[6] *La Refondation du Monde*, par Jean-Claude Guillebaud (Seuil)

l'économie mondiale, ayant pris conscience de l'impasse dans laquelle le libéralisme enferme le monde. Il vient de consacrer un ouvrage, *La Grande Désilllusion* (Fayard), aux dégâts du FMI. Selon lui, "*Le capitalisme est miné par la collusion, la confusion des intérêts et l'opacité. C'est devenu un capitalisme de copains, de connivence. Pour que le capitalisme soit efficace et propre, il faut que l'Etat impose certaines règles, et les fasse appliquer strictement.*"

Au plan politique, les effets de la libéralisation sont déjà inquiétants, mais certains d'entre eux restent réversibles. Au plan idéologique, et malgré les résistances dont on vient de parler, l'emprise de la pensée unique libérale provoque des dégâts dans les esprits, tendant à faire à nouveau accepter l'idée qui avait pourtant beaucoup régressé depuis deux siècles et qui aurait dû rester inacceptable, l'idée de l'inégalité entre les hommes. L'idéal d'égalité et de fraternité incrit dans la devise de la République s'était largement répandu hors de France, dans les pays occidentaux en tous cas, jusque vers les années 1980. La notion d'égalité avait peu à peu abandonné le domaine formel et théorique, quoique déjà fort précieux, de la démocratie politique seule (un homme = une voix) pour se répandre dans celui de l'économique et du social. On pouvait raisonnablement espérer qu'elle allait finir par se répandre également dans les relations internationales. Mais c'est le contraire qui se produit : l'autre face de la devise française, la liberté, est récupérée, amputée, dénaturée (la liberté du plus fort), pour servir d'arme de guerre aux puissants contre le respect de l'égalité et de la fraternité. Oh bien sûr, l'idéologie de l'inégalitarisme s'est modernisée et civilisée. On ne s'alliera pas à l'extrême-droite pour affirmer des choses aussi grossières que l'inégalité entre les races ou l'infériorité de la femme. Que les noirs réussissent remarquablement s'ils en ont les compétences, cela ne gêne pas nos libéraux. Que des femmes écrasent d'autres femmes ou des hommes, pourquoi pas, dès lors qu'elles sont assez battantes. Mais que des gouffres se creusent toujours plus profondément entre les gagneurs et les autres, voilà les nouveaux jeux du cirque économique mondial. Quel que soit le gagnant, il faut bien des perdants.

Même si on adhère au credo communément admis de la possibilité d'une croissance infinie, on peut avoir de bonnes raisons de penser que la victoire totale du libéralisme signifierait pour l'humanité une sorte de tiers-mondisation générale et une désagrégation totale du tissu social par l'accumulation des inégalités, la disparition du sens civique et la montée de l'insécurité, dans un contexte de misère et une ambiance de "chacun pour soi". Il suffit pour arriver à une telle conclusion d'extrapoler les tendances de ces dernières années. Au Royaume-Uni, pendant les dix premières années du la politique Thatcher, les 10% les plus riches se sont encore enrichis de 65%, alors que les 10% les plus pauvres s'appauvrissaient de 15 à 17%. Chez nous, les problèmes de désagrégation et d'exclusion sont aussi suffisamment présents pour qu'il soit besoin d'insister. Quelqu'un n'avait-il pas parlé de la nécessité de réduire la fracture sociale ? On a dû rêver.

La solution à tout problème, vous répètent à l'envi les libéraux, vient comme toujours des États-Unis, où le système économique et social, à l'unisson du système britannique façonné à la mode Thatcher, est le meilleur, car il privilégie la responsabilité personnelle et le dynamisme économique, alors que dans la vieille Europe continentale, les restes d'état-providence encouragent l'assistanat ; l'initiative économique y est étranglée par le poids des prélèvements obligatoires. Alors, allons-y, baissons les impôts et les cotisations sociales, c'est la mode.

Pour baisser les impôts, il faut baisser le "train de vie de l'état", et en particulier diminuer le nombre de fonctionnaires. Il a été décrété que tout le monde désormais devait être d'accord : en France, il y a trop de fonctionnaires, et des sondages sont régulièrement publiés pour bétonner cette idée. Seulement, il y a également consensus pour dire qu'on manque de professeurs et de surveillants dans les collèges et lycées, où trop de classes sont surchargées, que le personnel médical est dramatiquement insuffisant dans les hôpitaux, où infirmières et internes sont débordés et ne peuvent être suffisamment disponibles aux malades, et bien entendu qu'il faut plus de policiers et de magistrats pour assurer l'ordre public. Et à la première neige, il va de soi que les fonctionnaires de l'Équipement auront salé tous les axes routiers dès sept heures du matin. Et ... et... et... Bref, il faut moins de fonctionnaires en général, catégorie abstraite composées de gens inutiles et paresseux, mais on manque de personnel dans les principales catégories concrètes de fonctionnaires, personnes indispensables à la bonne marche de la société. Il faut baisser les impôts, mais il faut un service public de qualité et gratuit. Cherchez l'erreur.

Le raisonnement est le même à propos des cotisations sociales. Côté maladie, les dépenses augmentent trop. Nous voulons tous vivre plus longtemps et en meilleure santé. Nous voulons scanner et IRM à profusion, mais il paraît que l'augmentation des cotisations de la branche maladie est insupportable. L'augmentation de la demande de soins devrait se faire à coût constant. Dans le même temps, personne ne semble rechigner devant les dépenses personnelles pour le renouvellement ultra-rapide du matériel, en informatique, en téléphonie, en télévision, en automobile ; et plus généralement, toutes les dépenses de loisirs semblent aller de soi et sont très fortement valorisées. *"Donnez-moi le superflu*, disait Oscar Wilde, *je me passerai du nécessaire"*... Ou en tous cas, je trouverai naturel de disposer gratis du nécessaire... Jean-Marc Sylvestre, chroniqueur économique à France-Inter, se range ouvertement dans les troupes les plus enthousiastes du libéralisme ; il n'hésite pas à pourfendre l'état-providence et la fonction publique, forcément pléthorique, coûteuse et incompétente. Seulement, à l'été 2002, il a dû faire face à de graves problèmes de santé, et, en septembre de la même année, il a fait un mea culpa courageux, bien qu'éphémère, reconnaissant que l'excellent système public français de santé lui avait sauvé la vie. Comme quoi l'idéologie libérale aussi peut se confronter à la réalité.

Concernant les retraites, le diagnostic est du même tonneau : en raison de l'évolution démographique, les cotisations de retraite par répartition deviennent trop lourdes. Ce système de retraite, de même que d'autres services publics, la santé et l'éducation pour tous, a été mis en place en France à la Libération, alors que le pays était ruiné. Aujourd'hui, alors que le pays est plus prospère que jamais, tous ces acquis élémentaires indispensables à la cohésion sociale sont devenus des luxes impossibles à financer. Comprenne qui pourra. Alors, allons-y ! Supprimons donc les cotisations trop élevées du système par répartition qui est le nôtre, et remplaçons celui-ci par un système de capitalisation, celui des fonds de pension, à l'exemple des États-Unis. Les prélèvements obligatoires y sont beaucoup moins élevés, c'est vrai. Ce qu'on oublie, c'est que, si les prélèvements n'y sont pas formellement obligatoires, les prélèvements totaux sont comparables à ce qu'ils sont chez nous. Il faut bien se payer, et fort cher, une assurance maladie, ou mourir à la porte du médecin ou de l'hôpital. Il faut verser au fond de pension pour sa retraite. Il faut payer des sommes colossales pour que les enfants puissent suivre une scolarité. Il faut parfois payer une police privée pour assurer la sécurité du quartier...

Alors, que les prélèvements soient obligatoires ou qu'ils soient "volontaires", qu'est-ce que cela change ? Eh bien, le système de répartition à la française aboutit à une certaine redistribution : même les plus défavorisés obtiennent un brin de couverture sociale, et les plus aisés cotisent donc un peu pour eux, ce qui "favorise l'irresponsabilité et la mentalité d'assisté", et "empêche les plus productifs, les plus dynamiques, de percevoir tout le fruit de leurs efforts". Les pauvres gens. Avec le système libéral pur et dur au contraire, c'est chacun pour soi : à chacun d'assurer ses vieux jours. Vous gagnez 10 000 euros par mois, combien pouvez-vous placer pour votre retraite ? Et vous qui gagnez le SMIC et connaissez de longues périodes de chômage, vous ne voyez pas comment préparer une retraite décente dans ces conditions ? Allons, mon brave, c'est votre problème, soyez responsable de votre vie !

On peut tout de même remarquer que la propagande tonitruante pour les fonds de pension marque le pas. La dégringolade de la bourse, et les scandales financiers qui se succèdent ont quelque peu douché les enthousiasmes. Les fonds de pension qui exigeaient des rendements de 15% de leurs placements au plus fort de l'euphorie boursière des dernières années font désormais grise mine. Au Texas, les employés d'Enron qui ont appris leur licenciement, un dimanche après-midi de la fin 2001, sont sûrement aujourd'hui de chauds partisans de ces fonds de pension : ils ont perdu non seulement leur travail, mais aussi, avec la faillite de leur entreprise, leur future retraite, placée en actions Enron qui aujourd'hui ne valent plus rien. A près de soixante ans, certains d'entre eux peuvent se préparer à chercher un autre travail et commencer une nouvelle carrière, pour compenser cette retraite qu'ils n'auront pas. Le libéralisme maintient les gens dans une longue jeunesse.

Face au chômage, le Royaume-Uni et les USA ont choisi une méthode beaucoup plus brutale que les pays d'Europe de l'Ouest, et ils ont obtenu des résultats indéniables : ils comptent nettement moins de chômeurs. Seulement, ce sont les *poor workers,* des personnes *ayant un travail,* qui vivent dans cette misère matérielle connue chez nous par les seuls chômeurs de longue durée. En effet, avoir un travail ne suffit pas pour vivre correctement quand ce travail est irrégulier, à temps partiel, mal payé, là où tout s'achète (nous français avons du mal à imaginer par exemple d'avoir à payer 10 à 20 000 euros par an pour les études d'un enfant) ; les statistiques sont formelles : si depuis une vingtaine d'années le revenu moyen américain a fortement monté, celui des plus pauvres, même munis d'un travail, a chuté considérablement. En ce qui concerne l'évolution des services publics, observons les conséquences de la politique libérale chez nos voisins britanniques. Grâce aux privatisations opérées par madame Thatcher, les trains délabrés, sur lesquels les compagnies privées de chemins de fer évitent soigneusement tout investissement, y sont devenus de véritables cercueils à roulettes. Le système public de santé est maintenant digne d'un pays du Tiers-Monde, et les Anglais qui le peuvent traversent la Manche pour se faire soigner dans les hôpitaux français. Tout en constatant cette situation catastrophique, Tony Blair, en digne héritier surprise de la Dame de Fer, n'a rien fait pour inverser la vapeur, bien au contraire.

Les effets du libéralisme sont bien pires encore pour les pays pauvres. A partir du coup d'état de Pinochet en 1973, le Chili a été le laboratoire du libéralisme à l'état pur, où les Chicago Boys ont pu s'en donner à cœur joie, avant d'étendre leurs exploits et leur idéologie à tout le continent latino-américain, puis au monde entier.

Nous, occidentaux, connaissons une situation sociale incomparablement plus favorable que celle des pays pauvres. Mais en acceptant depuis vingt ans que la misère puisse chez nous aussi s'étendre chaque année davantage, nous préparons le terrain à une société éclatée dont nous voyons les premiers signes, même partiellement camouflés encore par la prospérité ambiante et les acquis sociaux de la période précédente. Oh bien sûr, des périodes de regain de croissance peuvent encore nous permettre d'éluder la question pendant un temps ; la "crise" fournit un prétexte pour ne pas lutter contre l'inégalité, il serait naïf de croire qu'une hypothétique reprise se chargera de réparer la fracture sociale à notre place, et encore moins de préparer à elle seule un avenir durable.

Idéologie de la croissance

Quel rapport entre la montée du libéralisme et le problème qui nous occupe, celui de la croissance infinie de la consommation des ressources d'un monde fini ? Ce rapport peut prendre au moins quatre aspects :

En premier lieu, il faut redire que la maîtrise d'un processus de développement de l'ensemble de l'humanité ne peut se faire que de manière volontaire. Or, par définition, la démarche libérale laisse les décisions au Marché. Et le Marché, force myope et impersonnelle, est incapable par nature de prendre aucune décision de ce type ; il ne peut que se laisser porter par son inertie et son intérêt à court terme vers la ligne de plus grande pente. Si tout ce qui a été dit dans cet ouvrage a une quelconque valeur, si au-delà de tous ses attraits la croissance économique doit un jour vraiment faire défaut en raison des contraintes physiques évidentes de la Terre, ce n'est pas dans un contexte libéral que le virage nécessaire sera pris : tel qu'il se définit, le libéralisme est incapable de relever un défi de ce type.

Mais surtout, et c'est le deuxième point, une telle démarche suppose un souci de meilleure répartition des richesses disponibles. Si on veut donner à l'utilisation des ressources planétaires une orientation durable, s'il s'agit de répartir autrement et plus justement des ressources matérielles limitées, ce n'est évidemment pas en demandant aux plus démunis de maîtriser leur consommation (ils n'en ont que trop l'habitude), alors que les plus riches continueraient à jouir d'un superflu de plus en plus indécent. Une répartition plus équitable est nécessaire aussi bien pour des raisons de simple justice que pour éviter une explosion sociale. Mais cette démarche volontariste de redistribution est à l'opposé de l'idéologie inégalitaire libérale.

En troisième lieu, et ce n'est pas troisième par ordre d'importance, une chose est évidente : le libéralisme ne peut s'épanouir que dans la mondialisation de l'économie. Et qui dit mondialisation dit bien sûr croissance des transports, pour échanger dans le monde entier les marchandises produites.

La division du travail et le libre-échange, qui sont à la base de la mondialisation et du libéralisme, ne sont pas en eux-mêmes de mauvaises choses, bien au contraire. Pourquoi en effet s'échiner à fabriquer dans une région ou dans un pays ce qui, pour des raisons géographiques, culturelles ou autres, peut être fait beaucoup plus facilement et à moindre coût ailleurs ? Que chacun utilise au mieux ses compétences et ses atouts propres dans les domaines où il excelle. Bien. Très bien même, à condition toutefois de ne pas pousser ce principe jusqu'à l'absurde. Dans *"Le procès de la Mondialisation" (Fayard),* Edward Goldsmith cite le cas de cure-dents en bois avec leur emballage plastique individuel. Des cure-dents importés au Minnesota. Importés d'où ? Du Japon. Pourtant, le Japon est trop exigu pour être un producteur de bois. Il ne possède pas non plus de pétrole pour fabriquer le plastique de l'emballage. Il lui a donc fallu importer tout cela pour fabriquer ce produit et l'expédier aux USA. Aux USA qui eux possèdent bois et pétrole en quantités, et qui fabriquent, au Minnesota justement, des baguettes jetables en bois, dûment emballées sous plastique, à destinations des Japonais et de leurs bols de riz. Et les cargos de se croiser dans le Pacifique, et les poids lourds de rugir sur les routes américaines, pour s'échanger sur 8000 kilomètres tous ces petits bouts de bois. Et George Bush peut affirmer sans se tromper que les États-Unis ne peuvent respecter le protocole de Kyoto sur l'effet de serre, que ça nuirait à leur économie. Car effectivement, les fabriquants, les commerçants, les transporteurs s'y retrouvent quelque part, sans quoi toute cette folle machine s'arrêterait. Quant à l'équilibre planétaire, c'est une autre histoire...

L'épizootie de fièvre aphteuse partie d'Angleterre en janvier 2001 montre un autre effet pervers du libre-échange total. Il est reconnu que la dispersion du virus a été facilitée par le va-et-vient invraisemblable d'animaux d'un pays à l'autre, d'un continent à l'autre. Et même le type de lutte contre cette maladie des troupeaux, maladie gênante mais rarement mortelle, est lui aussi soumis aux diktats commerciaux plus qu'aux règles purement sanitaires. Pourquoi abattre des centaines de milliers d'animaux, sains dans leur grande majorité, plutôt que de les protéger par le vaccin ? Tout simplement parce que si on les vaccine, on ne pourra plus les exporter.

A quelque chose malheur est bon : on commence à entendre un peu plus la voix de ceux qui estiment urgent de relocaliser l'économie, face aux effets pervers de la mondialisation poussée jusqu'à l'absurde. Relocaliser, c'est revenir lorsque c'est possible à une production plus locale, plus régionale, plutôt que d'aller chercher systématiquement les produits du bout du monde. On peut penser que cette relocalisation se fera d'elle-même tôt ou tard. Dans dix ans, dans quinze ans ou dans quarante ans ? En tous cas quand le prix du pétrole aura décuplé en raison de la lutte au couteau que se livrera le monde sous le choc de la pénurie inéluctable. A moins que cette flambée ne provienne d'une prise de conscience tardive face aux dégâts du réchauffement de la Terre. On ne pourra plus alors se permettre ces ballets frénétiques de semi-remorques, de cargos et d'avions qui sont de règle en cette période où le prix du pétrole est ridicule. Aujourd'hui, nous supportons sans réagir les dégâts de ces excès, parce que cela rapporte gros, parce que cela fait marcher les affaires, parce que, quand les affaires marchent, chacun en retire un certain bénéfice immédiat : cela nous arrange tous, au fond. Cette mondialisation, ce libre-échange, ces délocalisations nous fournissent à des prix imbattables les marchandises que nous pouvons alors gaspiller sans compter. Limiter tout cela (comment ? Il est vrai que ce n'est pas simple) risque de nous priver de beaucoup d'avantages acquis. A l'époque de Montesquieu déjà, on avait bien vu les raisons qui justifiaient le maintien de l'esclavage aux Antilles : si la canne à sucre n'était pas produite par les esclaves, le sucre serait hors de prix. Aujourd'hui, face aux agressions que subit la planète et dont les habitants paieront de plus en plus cher les effets, face aux injustices internationales, l'argument est du même ordre : touche pas à mon niveau de vie, touche pas à mes gaspillages. C'est le discours de George Bush sur le sujet. Avec son bon gros cynisme texan, il dit au moins les choses franchement. A nous d'abonder dans son sens, ou de réagir.

Le dernier point concerne le nouveau colonialisme culturel et économique qui pèse sur les pays dits en développement et sur les cultures traditionnelles, avec des conséquences qui dépassent très largement le cadre du folklore. Dans *Le Procès de la Mondialisation*, deux auteurs constatent des faits similaires dans deux régions très éloignées du globe. Helena Norberg-Hodge prend l'exemple d'une région qu'elle connaît bien, le Ladakh, où elle a longtemps vécu depuis 1975. C'est seulement à cette date que cette région himalayenne du Cachemire, encore appelée "Petit Tibet", s'est ouverte à l'influence occidentale, et en particulier au tourisme. A l'époque, Helena Norberg-Hodge découvre une population qui, malgré un environnement extrêmement rigoureux, a réussi à former une société particulièrement riche, au plan matériel comme au plan culturel, psychologique et spirituel. La pauvreté y est inconnue, la solidarité est le maître mot, les gens vivent satisfaits et fiers. En quelques années, tout change. Face à l'afflux des touristes qui dépensent des sommes inimaginables, face aux images factices que déverse la télévision, les ladakhis se découvrent soudain pauvres et honteux. Les solidarités traditionnelles s'écroulent. La fascination des modèles de réussite à l'occidentale joue à plein pour faire naître des rivalités entre générations, entre paysans "arriérés" et citadins "évolués", entre musulmans et bouddhistes, entre ceux qui se découvrent soudain pauvres et ceux qui, croyant se faire aimer et admirer grâce aux symboles de réussite à l'occidentale, n'arrivent qu'à se faire jalouser et rejeter. Cerise sur le gâteau, une éducation complètement décalée finit le travail de sape sur une population désormais complexée, en voie de clochardisation. Ils chantaient et dansaient dans les fêtes de villages. Ils ne s'y risquent plus, honteux de leurs chants face aux professionnels entendus à la radio.

Le second exemple, rapporté par Jerry Mander, relate l'ouverture à la civilisation occidentale de la vallée du Mackensie, dans les Territoires du Nord-Ouest du Canada, où du pétrole a été découvert dans les années 60. Dans cette vallée proche du cercle polaire, habitée par des Indiens et des Inuits, les bouleversements sont étrangement similaires et catastrophiques.

Dans chacun de ces deux cas, la population vivait bien, sans se nuire à elle-même, sans nuire à son environnement. Au contraire, elle avait su depuis des siècles transformer une nature hostile pour en faire le cadre d'une vie rude sans doute, mais épanouie. Aujourd'hui, elle a découvert que son bonheur hypothétique est suspendu au pétrole et à l'électricité, aux voitures et aux téléviseurs que l'Occident généreusement voudra bien lui vendre. Ils étaient libres et se retrouvent pieds et poings liés, et frustrés de surcroît sous le déferlement des images d'un bonheur inaccessible. L'Occident leur a fait cadeau de ces frustrations et de la cupidité. En échange, il a gagné des clients bien sûr, dans le cas du Ladakh, des ouvriers dans celui du Mackensie, mais aussi des concurrents pour les ressources à venir ; il les a fait rentrer dans le club des pollueurs et des gaspilleurs qui contribueront à rendre inhabitable la Terre de nos enfants.

Par leur raccourci, ces exemples peuvent nous éclairer sur les ravages que provoque la mondialisation du mode de vie occidental. L'évolution du Ladakh a été concentrée sur quelques années, sa situation préalable a pu être étudiée tout récemment. Il en est de même pour celle du Mackensie. L'influence occidentale y est donc bien visible. Mais elle est du même type un peu partout, en Afrique, en Amérique latine et dans toute l'Asie du Sud. Certes, les sociétés traditionnelles n'étaient pas exemptes de défauts, d'horreurs parfois. Et selon le colonisateur du début du vingtième siècle, c'était le "fardeau de l'homme blanc", un devoir sacré, d'apporter à ces populations "reculées" la lumière et la civilisation. Pour les sociétés d'import-export, c'est une réussite grandiose. Pour le bien des peuples, c'est nettement plus discutable. Pour le bien de la Terre et l'avenir de l'humanité, c'est franchement inquiétant d'avoir ainsi acculé tous les peuples à n'envisager qu'une évolution suicidaire à terme.

Combien de catastrophes avant d'agir ?

La Terre est assez riche pour faire vivre, et bien vivre, les dix milliards d'humains qu'elle portera peut-être un jour, à condition que ces richesses soient plus correctement réparties, au lieu d'être accaparées par une minorité. C'est déjà ce qu'affirmait Gandhi en disant que la Terre fournit de quoi nourrir tout le monde, mais pas de quoi satisfaire quelques gros appétits. Est-il besoin de rappeler qu'un Américain consomme chaque année 9 tonnes d'équivalent-pétrole, c'est-à-dire 430 fois plus qu'un malien, qui n'en utilise que 21 kilos ? (un Français quant à lui se contente de 4 tonnes). Le gaspillage généralisé, qui va de pair avec le mythe de la croissance économique sans fin et s'entend si bien avec l'esprit libéral, ne peut conduire qu'à accentuer les déséquilibres actuels. Et pourtant il faudra bien se débarrasser un jour de cette anesthésie de l'esprit pour appréhender les vrais problèmes.

Ce n'est pas facile. Même en étant convaincu de cette nécessité de changer cette manière de tout miser sur la croissance, on peut être effrayé par les moyens de ce changement. Dès qu'on entend parler de réduction de croissance, on voit apparaître cette "crise" présente depuis plus d'un quart de siècle et dont on promet toujours le bout ; on voit surtout resurgir le spectre de 1929, avec son cortège de marasme économique, de chômage et de misère, et de troubles politiques. C'est bien pour éviter un tel scénario de marasme et de misère qu'il faut reprendre les rênes de notre destin, au lieu de laisser celui-ci dans la main invisible du Marché. C'est bien pour cela qu'il faut être inventif, car nous ne sommes absolument pas préparés à cette mutation inédite.

Les pays de l'Est étaient eux aussi très mal préparés au bouleversement qu'ils ont dû affronter après la chute du Mur, mais ils avaient un modèle devant eux : le nôtre (même si ce n'était en partie qu'un miroir aux alouettes), qui leur montrait ce qu'ils avaient à gagner (la liberté de parole et de pensée bien sûr, et, le plus attirant sans doute, un espoir de prospérité) ; ils ont ensuite découvert qu'ils avaient aussi beaucoup à perdre au changement (une certaine sécurité matérielle et sociale, même dans un cadre de médiocrité ; le confort d'une irresponsabilité organisée par le système), au point que beaucoup se sont pris à regretter le régime communiste, face à l'anarchie de la transition, à l'explosion d'inégalités scandaleuses, à la disparition des anciennes sécurités.

Aujourd'hui, nous n'avons aucun modèle devant nous. Nous voyons trop bien ce que nous pouvons perdre, et très mal ce que nous pouvons gagner dans un bouleversement dont l'ampleur dépassera probablement de beaucoup celui qu'ont connu les pays communistes. Pour que les transformations nécessaires aient de bonnes chances de se réaliser au mieux, certaines conditions peuvent déjà apparaître, qui supposent un certain sursaut de civisme et de solidarité. On doit avancer vers un véritable partage du travail et des revenus, et vers une remise à plat de tout le système inégalitaire. A quoi peuvent bien servir les fortunes et les revenus inimaginables de Bill Gates, de Georges Soros, de Liliane Bettencourt ? Les trois plus grosses fortunes du monde détiennent ensemble plus que le PNB du groupe des PMA (Pays les Moins Avancés), c'est-à-dire 600 millions de personnes. En plaçant, ne serait ce qu'à 3%, sa fortune de dix milliards d'euros, la patronne de Loréal gagnerait en dormant trois cents millions d'euros par an, avec les seuls intérêts, c'est-à-dire le salaire annuel de 30 000 smicards ; la pauvre dame ! Les revenus des grands patrons français ont explosé ces dernières années ; ceux-ci amassent désormais en quelques mois ce qu'un de leurs ouvriers met toute une vie à gagner ; ils profitent de plus de "parapluies" invraisemblables lorsqu'ils sont remplacés en raison de leur gestion hasardeuse. A quoi riment de tels revenus ? Et face à ces disparités colossales, d'autres pourraient sembler soudain bien "ordinaires", mais restent tout aussi injustifiables ; elles pervertissent l'état d'esprit de la société, faisant de la compétition incontrôlée un but en soi, encourageant l'insatisfaction à tout niveau de l'échelle sociale, entraînant le repli de chacun sur soi et le mépris des problèmes que peuvent connaître les moins favorisés. Elles finissent par mettre à mal le contrat social. Alors qu'il était président de la république, VGE s'était élevé contre l'arrogance de la richesse. Qu'a-t-il fait, qu'ont fait ses successeurs pour limiter cette arrogance ?

Peut-être les pages précédentes ont-elles pu laisser croire que tous les occidentaux devaient être considérés comme des privilégiés. Face aux plus pauvres des plus pauvres de la Terre, c'est sans doute vrai, mais cette notion est bien entendu très relative et dépend du cadre dans lequel on se situe. Et il reste chez nous, à côté d'une frange de richesse insolente, une frange de misère matérielle inacceptable qu'il nous incombe de combattre et de réduire. C'est par commodité de langage que peut-être notre société a été un peu trop assimilée ci-dessus à sa classe la plus nombreuse désormais, la classe moyenne, d'ailleurs elle-même très peu monolithique. On peut imaginer que la jeune mère isolée qui, caissière à trois-quarts temps dans un hypermarché, peine à joindre les deux bouts et jongle avec des horaires impossibles pour faire garder ses enfants, considérerait cet ouvrage comme très éloigné de ses préoccupations, à supposer qu'elle ait le temps de le lire. Les questions posées ici sont-elles pour autant des questions de luxe ? Elles le seraient si elles n'engageaient pas l'avenir.

Remettre les pendules à l'heure en vue d'une évolution durable de la société suppose, pour les plus riches bien sûr, mais aussi pour la classe moyenne, une certaine baisse des revenus et de la consommation, ce qui ne signifie pas nécessairement qu'on vive moins bien. Qu'on gaspille moins, sans doute. Après tout, l'Américain consomme deux fois plus d'énergie que l'Européen, pour un niveau de vie pratiquement équivalent. Que notre manière de vivre et surtout de voir la vie soit modifiée, certainement, mais face aux enjeux, rien qui ne soit insupportable, bien au contraire. En fait, vivre autrement pour vivre mieux.

Un tel bouleversement des mentalités et des manières de vivre peut-il se faire ? Poser cette question, c'est se remettre dans la situation de l'aristocratie française de la deuxième moitié du dix-huitième siècle : était-elle alors capable d'envisager l'abolition des privilèges ? Ou fallait-il en passer par la prise de la Bastille et l'incendie des châteaux avant de connaître la nuit du 4 août ? Vers 1750, Machault d'Arnouville, contrôleur général des finances de Louis XV, tenta d'établir une certaine égalité devant l'impôt, en faisant enfin payer les classes privilégiées pour soulager les plus pauvres.

Accrochés à leurs avantages, la haute noblesse et le haut clergé se coalisèrent pour obtenir du roi son renvoi. Après Machault, c'est Turgot, Necker, Calonne qui échouèrent dans leurs tentatives pour amener les privilégiés à ouvrir les yeux sur la réalité et à accepter les réformes. Refusant toute évolution, ceux-ci rendaient inéluctable la Révolution qui allait les balayer. Il est vrai que, anesthésiée par son oisiveté, la cour de Louis XV, puis celle Louis XVI, était trop enfermée dans la futilité pour réaliser que le monde ne se limitait pas à Versailles, trop centrée sur elle-même pour entendre le monde réel et imaginer l'avenir autrement que comme prolongement du passé. L'avenir ? 1789.

L'éclairage de l'Histoire montre que c'est le plus souvent le dos au mur qu'on se met à chercher des solutions à des problèmes trop longtemps niés, et qu'alors, les solutions imposées dans l'urgence et la panique s'accompagnent fréquemment de troubles graves. Constatation bien déprimante. Comment sortir de cette apparente fatalité de l'aveuglement ? *Combien de catastrophes avant d'agir ?* demande Nicolas Hulot dans le titre d'un ouvrage publié au printemps 2002.

Bien sûr, à entendre les discours, on pourrait penser que c'est gagné : le monde entier affirme ne plus jurer que par le "développement durable". Même le gouvernement français s'y met et, fin 2002, y consacre... une demi-journée : tous les espoirs sont permis. On attend les actes : il faudra bien un jour que les états osent reprendre leur rôle de modérateurs de l'injustice dans leur domaine. Il faudra bien un jour se décider à substituer au désordre que nous connaissons une organisation sociale et économique mondiale permettant le partage du bien commun au plan international comme au plan national. Il serait pathétique que l'humanité se contente longtemps de l'Organisation Mondiale du Commerce, et renâcle devant la mise en place d'une Organisation Mondiale de la Justice sociale. Sinon les lendemains du nouveau totalitarisme régnant ne pourront qu'entonner pour le plus grand nombre des chants de désespoir.

DEFAIRE LE DEVELOPPEMENT, REFAIRE LE MONDE

Y avait rien.
Pas un troquet.
Pas une mobylette..
Rien. La zone.
Coluche.

Qu'est-ce que le développement ? Aussi curieux que cela puisse paraître, on ne le sait pas vraiment, car il n'existe pas de définition pour ce mot appliqué à l'économie et aux relations internationales. Le sens en est donc laissé à l'imaginaire et à l'affectif : le développement, c'est l'avancée de l'enfance vers l'âge adulte, le déploiement de la graine jusqu'à la plante, à la fleur et au fruit. C'est beau !

C'est même si beau qu'on l'utilise dorénavant à tout propos (développement d'une entreprise, d'une activité, d'une région...), dans un sens très voisin de celui de croissance. Les problèmes de la croissance en général ayant largement été abordés par ailleurs, nous utiliserons ici le mot "développement" dans son application au Tiers-Monde.

Mais d'où vient donc ce mot ? Son usage, dans ce sens, est relativement récent. Un conseiller du Président Truman a trouvé que le Discours sur l'Etat de l'Union que celui-ci devait prononcer en janvier 49 était un peu terne, et qu'il convenait de le couronner par quelque chose de plus flamboyant, de plus attirant pour la presse. Un dernier point a donc été rajouté. Dans cette fin de discours, le président des États-Unis constatait que plus de la moitié de l'humanité était dans la misère ; il proposait l'aide américaine pour sortir de cette situation, et prédisait que si les peuples pauvres savaient profiter de la chance ainsi offerte et se mobilisaient avec suffisamment d'énergie, une nouvelle ère allait s'ouvrir pour le monde, une ère de paix, de prospérité universelle et de bonheur. Le lendemain, les journaux pouvaient titrer sur cette nouvelle espérance : le salut était en vue, et l'Amérique était le messie porteur de ce salut. De ce jour, le mot développement gagnait son statut définitif : son objectif affiché étant de répandre le bien-être sur la Terre entière, la réputation du développement ne pouvait être que sans tache. Quelques années plus tard, confiant comme tout le monde en cet objectif louable, le pape Paul VI écrivait dans son encyclique *Populorum Progressio : "Le développement, c'est le nouveau nom de la paix."* J'y ai longtemps cru. J'y crois encore, à condition de savoir clairement ce qui se cache derrière ce mot. Or, le flou complet qui entoure cette notion depuis sa création permet toutes les ambiguïtés, tous les malentendus : on peut toujours s'interroger sur les modalités du développement, sur sa vitesse, sur ses conditions. Sur sa nature, jamais.

Pourtant, début 2002, six mois avant le Sommet de Johannesburg sur le développement durable, un colloque se tenait à Paris, au siège de l'UNESCO. Son thème marquait la dissidence par rapport à cette belle unanimité : *"Défaire le développement, refaire le monde."* En écho à cette provocation, Edgar Morin, qui jusque là s'était montré un ardent défenseur du *"vrai développement, le développement humain",* reconnaît maintenant que dans l'expression "développement humain", *"le mot humain est vide de toute substance".*

Bibliothèque Rose et Série Noire

L'idée présentée par Truman divise le monde entre, d'un côté, les riches, parfois un tantinet égoïstes il est vrai, mais si efficaces et surtout si bien élevés, si fréquentables, et de l'autre côté, les pauvres, à plaindre et à aider, auxquels il faut donner le bon exemple, apprendre les bonnes manières, les bonnes méthodes, et qu'il faut pour cela parfois secouer.

Cette idée ne date pas d'hier, et n'est pas née avec le terme de développement. Auparavant, elle justifiait la colonisation. C'était le "fardeau de l'homme blanc" d'amener à la civilisation, à la pleine humanité, à la vraie religion, ces sauvages à moitié nus, aux mœurs répugnantes, anthropophages parfois, dont l'état représentait une insulte à la dignité humaine. Seulement, au milieu du vingtième siècle, on ne peut plus faire perdurer des pratiques communément admises avant la seconde guerre mondiale. On ne peut plus exhiber la vénus hottentote devant les badauds, on ne peut plus montrer au Jardin d'Acclimatation des familles kanakes à moitié nues, ni reconstituer comme on l'avait fait à Paris pour l'exposition coloniale de 1931 un prétendu village africain peuplé de nègres rigolards dévorant de la viande avec force grimaces. Y a bon ! Et en politique internationale, les empires coloniaux dénotent un peu trop dans la modernité. La colonisation est morte. Vive le développement !

Dans les années 50-60, le développement, c'est d'abord la lutte contre la faim et la maladie. La bonne volonté et la générosité des occidentaux sont alors de mise : les pauvres gens, ils meurent de faim ; il nous faut les nourrir. Nous qui sommes bons, nous qui sommes efficaces, nous allons reprendre la grande idée de Truman et régler le problème ; nous allons leur apporter à manger, ou mieux encore leur apprendre à se débrouiller. Le salut ne vient plus seulement d'Amérique, mais plus généralement d'Occident, parfois même d'Union soviétique. Un joyeux mélange de bon cœur, d'arrogance et de culpabilité préside à cette vision. Diffuse mais réelle, la culpabilité repose sur la conscience que si certains pays sont dans la misère, nous n'y sommes pas totalement étrangers, par notre histoire -esclavage et colonisation- comme par le présent, avec le pillage des ressources et les échanges inégaux. Alors, le développement est un peu une occasion de rachat : grâce à nos bons conseils et à notre aide bienveillante, le Tiers-Monde arriéré, affamé, ne pourra que suivre le chemin que nous avons tracé, de manière à obtenir les mêmes résultats, sans qu'il nous en coûte trop. Le développement est la promesse d'un avenir radieux calqué sur le nôtre. Voilà pour le mythe.

Au cours de ce dernier demi-siècle, le mythe du développement s'est structuré dans les moules du business international. Tant et si bien que selon la doctrine officielle, le développement passe désormais obligatoirement par l'ouverture à la mondialisation. La concurrence stimule la créativité, favorise l'emploi et la croissance économique. La Banque Mondiale, le Fond Monétaire International et l'Organisation Mondiale du Commerce sont les grands ordonnateurs du développement tel qu'on doit le penser. Les pays qui veulent se développer doivent entrer dans le grand jeu du commerce mondial, et en accepter les règles. Oh bien sûr, cela ne va pas sans quelques petits désagréments, quelques dégâts collatéraux voulus par le Marché, mais tout à fait transitoires. On le sait, pour se réaliser en Occident parallèlement à la révolution démocratique, la révolution industrielle a exigé des moments de douleur ; le monde ouvrier en particulier a payé un lourd tribut avant de connaître lui-même la prospérité, mais on n'a rien sans rien, n'est-ce pas, on ne fait pas d'omelette sans casser des œufs. Demain, toute l'Asie du Sud, et, sous réserve de courage et de compétence, l'Amérique latine, et même l'Afrique pourquoi pas, sont promises à la prospérité et aux réjouissances de la société de consommation. Les habitants des pays pauvres vont nous rejoindre dans notre niveau de vie, et si eux n'y parviennent pas tout à fait, leurs enfants, oui.

Après un demi-siècle de développement, où en est-on de ce programme ? Depuis 1945, le commerce mondial a été multiplié par 19, et la production par 6. Si la doctrine officielle est juste, le Tiers-Monde a déjà dû toucher un bon paquet de dividendes, et goûter aux fruits délicieux de la prospérité. Qu'en est-il en réalité ? En 1974, le Secrétaire d'État américain Henry Kissinger promettait : *"En 1984, aucun homme, femme ou enfant ne s'endormira plus en ayant faim."* En 1996, selon la FAO, ceux qui souffrent de la faim sont plus de 800 millions, et la malnutrition touche deux milliards d'humains. Ce n'est pas grave : pleins de bonnes intentions, les délégués réunis cette année-là au sommet mondial de l'alimentation à Rome décident imperturbablement de *"réduire de moitié d'ici 2015 le nombre de personnes touchées par la faim"*. Bonne nouvelle. Quels sont les autres résultats du développement ? Taïwan, Singapour et Corée du Sud se sont couverts de gratte-ciel de verre et d'acier. L'Inde produit davantage de films que les États-Unis, et exporte ses informaticiens de haut niveau dans le monde entier. Mais pour le reste, la pauvreté n'a fait globalement qu'empirer dans le monde, non seulement dans les pays pauvres comme l'Indonésie, où elle a augmenté de 50% depuis 1997, mais aussi dans les pays "émergents" comme la Corée du Sud, justement, où elle a doublé sur la même période (ainsi d'ailleurs que dans la pays riches : selon le Bureau International du Travail, le nombre de pauvres au Royaume-Uni est le double de ce qu'il était en 1980 ; on y dénombre un million de pauvres de plus qu'en 1990). Le

Tiers-Monde croule sous la dette. L'écart avec les pays riches ne cesse de se creuser, de même qu'à l'intérieur des pays pauvres, les inégalités entre une caste de privilégiés et la masse de la population. Les apports occidentaux ont bouleversé les économies locales et mis à mal l'agriculture : manquant de terre, ruinés par les aléas des cours du café ou du cacao, et par la concurrence des denrées alimentaires occidentales disponibles à très bas prix, les paysans sont contraints à l'exode et viennent s'entasser dans les bidonvilles qui entourent les mégapoles boursouflées que sont devenues Mexico, Dacca, Le Caire et Sao Paulo. Les ouvriers, parfois des enfants, qui cousent les chaussures de sport dans les usines des zones franches des Philippines vivent et travaillent dans des conditions sordides. Et si un problème de taille surgit pour un pays, qui ne peut plus rembourser sa dette par exemple, le FMI veille avec son gros bâton. Il sait s'y prendre pour que les banques occidentales récupèrent leurs créances : c'est son travail. Pour qu'un peuple se redresse économiquement, il faut "*qu'il souffre*", disait Michel Camdessus à l'époque où il était patron du FMI.

Tel est le résultat de cinquante ans de développement. Malgré cela, la recette miracle pour combattre la pauvreté est toujours celle du développement de la production et de la mondialisation de la concurrence. Pourquoi en effet changer une méthode qui échoue si bien ? On avait eu droit à la version Bibliothèque Rose pour enfants sages, pour les bons élèves de la classe du FMI. Peut-on encore croire au Père Noël, ou le monde est-il condamné à la Série Noire ?

Les bolcheviques du libéralisme

Si en cinquante ans, la situation des pays pauvres n'a fait qu'empirer, est-ce en raison d'une insuffisance de développement, ou en raison du développement lui-même ? La question n'effleure pas les cadres froids du FMI, ces "bolcheviques du libéralisme", comme les nomme Joseph Stiglitz, le Nobel d'économie déjà cité. Droits dans leurs bottes, fidèles à leur idéologie, ils persistent et signent dans la voie de la tragédie, qui est pour eux le passage obligé pour accéder aux bienfaits inéluctables du développement. Ils prennent exemple sur les bolcheviques première manière, qui n'hésitaient pas à sacrifier quelques générations afin d'atteindre un jour les lendemains qui chantent de la société communiste accomplie.

Loin du romantisme, loin de l'affichage de bonnes intentions, le développement, c'est d'une manière beaucoup plus pragmatique la mise en place d'une infrastructure facilitant d'une part la vente dans le Tiers-Monde de produits manufacturés ou les surplus agricoles venus d'Occident, et d'autre part, le recrutement d'une main d'œuvre bon marché et la collecte des matières premières considérées comme indispensables à l'économie des nations industrialisées. Création d'un marché, approvisionnement en matières premières, utilisation de main d'œuvre bon marché, tels étaient déjà, à côté du prestige international et des intérêts stratégiques des nations, les objectifs de la colonisation. Les choses n'ont guère changé.

On présente généralement la mondialisation comme la mise en action du libre-échange. Il s'agit en réalité d'échanges obligatoires. La nuance est de taille. Prenons l'exemple des denrées alimentaires. D'une part les États-Unis et l'Union européenne subventionnent massivement leur agriculture, ce qui fait chuter les cours mondiaux, notamment ceux des céréales et des oléagineux. A des prix aussi bas, les produits européens et américains envahissent les pays du Sud, dont ils étranglent littéralement l'agriculture. Tous ceux qui ne résistent pas à cette concurrence iront rejoindre la masse de main d'œuvre misérable qui s'entasse dans les bidonvilles, et ils libéreront les terres pour les plus performants d'entre eux, ceux qui se montreront capables de s'intégrer dans la vision productivité-exportation. Les poulets brésiliens commencent à concurrencer les élevages industriels bretons, et le mouvement s'amplifiera lorsque nos normes antipollution auront forcé la production industrielle de poulets et de porcs à se délocaliser vers des pays moins regardants. A côté de ces importations obligatoires, et cela dépasse l'entendement, il y a conjointement une exportation obligatoire de nourriture. Selon l'accord avec l'OMC, l'Inde doit exporter de la nourriture lorsqu'il y a une demande sur le marché international, et cela même lorsqu'elle est en situation de disette : la malnutrition ne doit en aucun cas gêner le commerce. Selon une évaluation récente de Greenpeace, 80% des enfants souffrant de malnutrition vivent dans des pays exportateurs de nourriture. Nous reviendrons sur toutes ces questions

Au début du règne de la reine Victoria, l'Angleterre lançait une expédition armée contre la Chine, en réponse à la décision prise par l'empereur chinois d'interdire l'importation d'opium qui faisait la prospérité de l'Angleterre, mais pervertissait l'Empire du Milieu en le ruinant. Cette sordide guerre de l'opium avait pour but de défendre le libre-échange. Déjà. Depuis 1840, la morale du commerce international reste fidèle à elle-même.

A l'aide !

C'est dans ce contexte d'échanges obligatoires que prend place l'aide publique au développement. Toute personne quelque peu sensibilisée aux problèmes de la justice internationale s'est un jour ou l'autre scandalisée de la modicité de cette aide. Il n'est même pas besoin de la comparer avec les budgets militaires : les seules subventions à l'agriculture des USA et de l'Union Européenne représentent sept fois l'aide publique au développement (350 milliards de dollars contre 50 milliards). Les responsables politiques eux-mêmes sont parfois gênés de cette situation, et se fendent de temps à autre de grandes déclarations pour affirmer solennellement leurs bonnes intentions. A une époque, la promesse était de consacrer à cette aide 0,7% du PIB des pays industrialisés. On en est maintenant tellement loin que le vœu pieux est retombé à 0,2 ou 0,3%. Faut-il pleurer, faut-il en rire ? Telle qu'elle est accordée, telle qu'elle est utilisée, l'aide publique est-elle scandaleusement insuffisante, ou est-elle encore de trop ? Les médecins ont dans leur serment pour première consigne de ne pas nuire. En ce qui concerne l'aide internationale, on n'est pas sûr d'en être là. L'aide publique est-elle, a-t-elle jamais été, plus utile que nuisible ?

L'aide alimentaire semble répondre à une exigence minimale en matière de morale internationale : nourrir les affamés. Les États-Unis fournissent des dizaines de millions de tonnes d'aide alimentaire à l'Inde. Dans le même temps, l'Inde exporte comme on vient de le dire des céréales et des produits laitiers. S'il est vrai que l'Inde manque d'un côté et a trop de l'autre, le bon sens voudrait que les sommes correspondant à cette aide soient consacrées à l'achat sur place de la nourriture disponible, adaptée aux habitudes.

Cette pratique favoriserait l'économie locale, en assurant un débouché aux paysans indiens eux-mêmes. Mais il est vrai que cela ferait moins l'affaire des producteurs américains, des organismes de transports et de tous les autres intermédiaires, qui recueillent couramment 40% de l'aide. La logique commerciale prend le pas sur toute autre considération. C'est si vrai qu'on peut remarquer que l'aide n'est jamais aussi importante en volume qu'en période de prix bas, lorsque les pays censés en avoir besoin auraient le moins de mal à se procurer les denrées qui leur manquent. En période de prix élevés, alors que les besoins sont justement les plus difficiles à satisfaire, les pays donateurs préfèrent soudain vendre plutôt que de donner : ils n'ont plus besoin de se débarrasser de stocks encombrants.

Revenons un moment sur l'Histoire. Au terme du Plan Marshall, grâce auquel l'aide alimentaire avait déferlé sur l'Europe ruinée par la guerre, les USA ont constaté que leur production, en particulier agricole, restait largement excédentaire. Pour lui offrir des débouchés sur le long terme, les Américains ont cherché de nouveaux bénéficiaires ; les pays d'Afrique, d'Asie et d'Amérique latine étaient tout désignés pour reprendre le flambeau des pauvres à aider, dans le cadre nouvellement découvert du développement. Mais pour que cette aide joue bien son rôle de pompe pour les excédents américains, des conditions strictes ont été prévues : la législation contient le programme "PL 480", selon lequel l'aide ne peut être fournie qu'en nature, avec des denrées (maïs, huile...) et du matériel (bidons, sacs...) provenant exclusivement des USA. Ainsi, tout le monde est censé s'y retrouver : les pays bénéficiaires, mais aussi l'agrobusiness américain, qui a d'ailleurs mis en place un puissant lobby, "Food for Aid", chargé de veiller à ce que les pouvoirs publics maintiennent le montant de l'aide, et si possible l'augmentent, subventionnant par la même occasion l'agriculture américaine, et fortifiant l'image d'une Amérique bienveillante. Les autres acteurs de la chaîne ont leur rôle à jouer, restant à l'affût des sécheresses et des famines à venir, en Afrique ou ailleurs, pour que les cargos remplis de maïs en Louisiane sachent à temps vers où se diriger.

Quelquefois cependant, le système déraille. En 2002, une campagne publicitaire efficace a annoncé partout que la Zambie, en Afrique australe, était menacée par la famine. Les images chocs ont fait affluer les dons ; les sacs de maïs sont arrivés par millions, jusqu'à ce que le président zambien dise en substance : "Non, ça suffit, la sécheresse ne touche qu'une province sur neuf, elle n'est que temporaire, et nous pouvons faire face, car nous avons des excédents ailleurs. De plus, ce maïs est génétiquement modifié, et nous n'en voulons pas : gardez vos OGM". Il a fallu détourner en catastrophe des milliers de tonnes sur le Malawi voisin. Comment peut-on avoir autant d'impudence et d'ingratitude ? Vous êtes pauvres, et vous vous permettez de faire la fine bouche ? La Zambie n'était pas prête à ce que lui soit imposée la technologie expérimentale américaine. Les paysans zambiens ont l'habitude de semer le maïs qu'ils réservent à cet usage sur la récolte précédente. Ils auraient fait de même avec le maïs GM si gentiment donné, avant de s'apercevoir que celui-ci, totalement inadapté au pays, ne poussait pas : désastre économique et humanitaire. Et si par chance cette culture avait tout de même poussé, quelques années plus tard, les firmes détentrices des brevets ne seraient-elles pas venues réclamer le droits sur le maïs semé sans autorisation ?

On le voit, l'aide alimentaire est moins claire qu'elle ne paraît. Tant d'intérêts sont en jeu.

C'est pourquoi l'Union Européenne privilégie maintenant l'aide financière plutôt que l'aide en nature. Reste à savoir au cas par cas si cette aide est utilisée au mieux. La Commission Européenne a d'ailleurs reconnu en 1995 que l'aide alimentaire *"va à l'encontre d'une politique de sécurité alimentaire à long terme, entretient la dépendance vis-à-vis de l'extérieur, concurrence et déstabilise les systèmes locaux, modifie les habitudes alimentaires des populations, déresponsabilise les gouvernements locaux..."*.

Cette question de l'aide alimentaire est à replacer dans le cadre plus global de la faim et des moyens à mettre en œuvre pour résoudre ce problème, un problème tellement dramatique qu'il mérite que lui soit consacré tout le prochain chapitre.

L'aide publique, alimentaire ou non, est un rouage essentiel dans la mise en place des échanges obligatoires. Par ailleurs, elle sert à financer les infrastructures projetées par l'Occident, offrant à cette occasion un débouché aux bureaux d'études occidentaux chargés de bâtir ces infrastructures. Elle arrose consciencieusement les élites des pays bénéficiaires, et fournit fréquemment les moyens militaires pour mater les victimes tentées de demander des comptes sur les méfaits du développement. Elle conduit à l'endettement qui étrangle tant de pays et les rend totalement dépendants de leurs "bienfaiteurs". Et elle enferme les pays du Sud dans cette idée qu'ils ne sont bons à rien, sinon à attendre les cadeaux du blanc. La déculturation provoque un complexe collectif d'infériorité et conduit à la soumission aux supposées valeurs occidentales. En visite au Bangladesh, j'ai pu constater que désormais on se devait d'offrir au visiteur un pepsi au lieu de la noix de coco fraîche ; et dans les classes moyennes, il est de bon ton de laisser la télévision allumée toute la journée sur des programmes, occidentaux ou indiens, auprès desquels la soupe proposée par nos télés commerciales passerait pour hautement culturelle.

L'aide publique ? Oui, mais à condition de la repenser totalement, dans ses finalités comme dans ses modalités. A condition qu'elle n'occulte pas la recherche de vraies solutions.

Le bonheur formaté.

Le développement est le plus souvent assimilé à la lutte contre la pauvreté. Mais qu'est-ce que la pauvreté ? Chacun la définit à sa manière. Pour le touriste qui accepte de sortir de son hôtel climatisé, elle saute le plus souvent aux yeux. Pour le Fond Monétaire International et la Banque Mondiale, la pauvreté, c'est le manque d'argent, un revenu trop faible. Pour l'UNESCO, organisme chargé à l'ONU de l'éducation et de la culture, la pauvreté tient au trop fort taux d'illettrés, ou au nombre trop faible de livres et de radios achetés. L'OMS, Organisation Mondiale de la Santé, la mesure par le nombre de médecins ou de lits d'hôpitaux pour 100 000 habitants, sans d'ailleurs trop bien savoir comment évaluer l'efficacité de ces dispositifs. Quant à la FAO, qui s'occupe d'alimentation, elle s'intéresse à la production de nourriture par habitant, selon les chiffres commerciaux dont elle dispose.

Mesurer ainsi la pauvreté, d'après des critères comptables, c'est faire fi de toutes les relations de gratuité qui existent à l'intérieur des familles, des villages, des communautés diverses, et qui sont des rouages essentiels et ancestraux dans le fonctionnement des sociétés traditionnelles. Et dans ces sociétés, avant les bouleversements provoqués par la confrontation avec l'Occident, sans doute manquait-on de revenus monétaires, de supermarchés alimentaires, de livres, de médecins diplômés et d'hôpitaux. Souffrait-on pour autant de ces revenus trop faibles, de manques culturels, de problèmes de santé, de carences alimentaires ? Dans certaines contrées sans doute, pour la santé et la nourriture, mais ce n'était peut-être pas le cas le plus fréquent ; les rapports des premiers explorateurs et anthropologues décrivent souvent des conditions de vie prospères. Pour une bonne part, la pauvreté est une invention de la civilisation ; dans beaucoup de langues, le terme n'existe même pas. Dans les sociétés traditionnelles, les véritables "pauvres" sont les gens isolés, sans soutien, comme les orphelins. C'est pourquoi l'exclusion du groupe, le bannissement du village, est une sanction si dure, signifiant le plus souvent la mort. Est-ce si différent en Occident, où les pauvres véritables sont ceux qui ont perdu leurs attaches professionnelles, familiales, relationnelles : SDF, vieillards abandonnés, parents isolés avec leurs enfants ? C'est la désintégration sociale qui conduit à la pauvreté véritable. En comparant la situation d'un village de la brousse africaine avec celle d'un ghetto noir américain, il apparaît que le second, où circule pourtant beaucoup plus d'argent que dans le premier, est le foyer de pauvretés probablement beaucoup plus profondes.

Les sociétés traditionnelles ont leurs richesses, même si elles ne sont pas les nôtres, et si elles leur sont souvent opposées. Parmi les valeurs suprêmes, nous avons placé le changement, la nouveauté ; dans la plupart des sociétés traditionnelles, c'est au contraire la stabilité qui compte en premier, stabilité que nous assimilons à ennui, routine, monotonie. Pour nous, qui avons une très forte notion de l'individu, et qui voyons dans l'obtention de richesses un puissant stimulant, le salariat est une condition de vie normale ; dans une société où l'appartenance à la famille, à la communauté villageoise, à la tribu, est capitale, où la gratuité des services rendus est la règle, le salariat est une malédiction, en raison de ce qu'il implique, en termes de travail harassant, souvent ennuyeux et dépourvu de sens quand il est non qualifié, en termes d'éloignement de la famille, d'enfermement dans des ateliers souvent sordides, et de conditions de vie dans les bidonvilles. Evidemment, cette malédiction est déjà vécue par les populations nouvellement urbanisées du fait de l'exode rural des dernières décennies ; une bonne partie du mal est déjà fait ; ce n'est pas une raison pour continuer nécessairement dans le même sens et condamner les populations encore rurales à tomber dans le même piège en poussant plus avant le développement.

Penser en termes de développement, c'est penser en termes d'économie de marché, donc de société de marché. C'est donc, dans la plupart des cas, viser une transformation sociale autant qu'économique. Le développement, prétendument chargé de satisfaire les besoins essentiels des populations, se révèle au mieux une tentative dérisoire pour corriger les dysfonctionnements générés par l'emprise économique et culturelle de l'Occident.

Dans la notion de développement est présente l'idée d'un bonheur unique et obligatoire à l'occidentale. Selon Edgar Morin, cette notion *"suppose que l'état actuel des sociétés occidentales constitue le but et la finalité de l'histoire humaine"*. Si un tel programme devait aboutir, en débouchant dans quelques décennies sur une société comparable à la nôtre, le jeu en vaudrait-il la chandelle ? L'affirmer, c'est déclarer avec une certaine impudence que notre société est supérieure à celles qui sont en bonne voie de destruction. Cela reste à discuter, mais admettons. La question n'est même pas là, le développement tel qu'il est proposé étant impossible pour la plupart des pays. Si, après avoir connu au début de la révolution industrielle des conditions sociales épouvantables, l'Occident a pu profiter de la prospérité, c'est qu'il a disposé d'un espace pour l'établir, et d'un réservoir de matières premières où il a pu puiser sans compter afin d'alimenter ses besoins nouveaux. C'est aussi qu'il a pu mettre en place progressivement, à l'abri de ses frontières, une certaine protection sociale contre la toute-puissance de l'économie. Si notre société peut aujourd'hui conserver ses avantages indéniables, c'est parce le réservoir des ressources à sa disposition est encore géré comme s'il était inépuisable, parce que la concurrence sur ces ressources n'est jusqu'à présent pas trop forte, parce qu'ailleurs existent encore la possibilité d'épurer les nuisances produites par un milliard d'occidentaux et celle de délocaliser ce que nous n'acceptons plus de produire chez nous ou ce qui peut être produit à vil prix ailleurs. Mais les limites des ressources de la planète, qui rendent impossible à terme le maintien de nos standards de vie, rendent a fortiori impossible leur accès aux plus pauvres, et ceci d'autant plus qu'avec la mondialisation, avec la guerre économique impitoyable, toute protection a tendance à disparaître là où elle existait, et a le plus grand mal à voir le jour là où elle est inexistante. Hélas, on ne risque guère de se tromper en disant que le développement *à l'occidentale* va laisser la plus grande partie du Tiers-Monde embourbé dans les conditions sociales effroyables de notre dix-neuvième siècle, sans lui ouvrir jamais les possibilités d'en sortir. La place étant prise depuis longtemps, le rêve clinquant venu d'Occident n'aura été qu'une escroquerie. La multiplication poussée jusqu'à l'absurde des échanges internationaux, l'ouverture en grand de toutes les frontières entre pays si inégaux, sont des impasses. La recherche d'une généralisation des standards occidentaux au monde entier est un leurre. Ce modèle est condamné.

Développement durable, l'ambiguïté.

Alors, peut-on encore parler de développement ? La réponse est-elle dans cette notion magique proposée depuis une dizaine d'années, et consacrée par l'intitulé de la Conférence de Johannesburg, celle du développement durable ? Que recouvre cette expression ? Pour les grandes associations écologiques ou humanitaires, c'est une remise en cause plus ou moins radicale du mythe de la croissance, des échanges inégaux, de la globalisation forcenée, du mode d'exploitation des ressources planétaires. Pour les firmes multinationales et beaucoup de gouvernants occidentaux, la conversion subite au développement durable, c'est un bon coup de peinture verte pour camoufler la globalisation commerciale dont on attend les meilleurs profits, c'est une vaste entreprise de marketing ou un rideau de fumée. *"Il est pour le moins ironique que ce soit ceux qui suivent le modèle de destruction consumériste qui parlent de développement durable !* déclare le responsable d'Ekta Parishad, une ONG indienne. *Ce sont eux qui ont déchaîné les forces du marché, responsables de la destruction de notre modèle durable."* Pour beaucoup de pays pauvres, c'est le rêve de rattraper le modèle occidental qui étincelle sous leurs yeux... Comment se retrouver dans cette auberge espagnole ? Comment dépasser ces malentendus, ces ambiguïtés à propos d'une expression où chacun met ce qu'il veut ? Il serait salutaire de trouver un vocabulaire nouveau, qui traduise mieux la réalité. Ne disposant pas d'un autre mot reconnu actuellement, si nous continuons à l'utiliser, ce sera donc en le pensant avec beaucoup de guillemets. Plus que les mots, ce qui importe, c'est de reprendre entièrement cette notion de développement.

Si on s'est embarqué dans le mauvais train, qui conduit à l'opposé de la destination choisie, la sagesse la plus élémentaire consiste à descendre à la prochaine gare pour regarder les horaires et réfléchir sur la suite du parcours.

Dans certains cas, la solution semble aller de soi. Face aux rares sociétés encore assez bien préservées de notre influence, souvenons-nous des ravages que cette influence peut provoquer : les exemples analogues à celui du Ladakh, abordé dans un précédent chapitre, sont légions, même si l'ancienneté et la progressivité de nos apports rendent moins clairs leurs effets. Fichons la paix à ces peuples, gardons-nous d'intervenir chez eux avec nos gros sabots, et laissons-les construire leur avenir comme ils l'entendent, sans avoir de comptes à rendre à une quelconque OMC, ni de remerciements à donner à la Banque Mondiale.

Dans les cas opposés, les plus fréquents, ceux des pays du Sud dans lesquelles les habitants s'agglutinent par dizaines de millions dans des villes tentaculaires, le problème peut sembler à première vue insoluble. Comment tenter de corriger autant que faire se peut les dégâts économiques, écologiques et humains du développement ? En continuant la fuite en avant, dans la voie qui a si bien échoué ?

Les pays du Sud doivent-ils multiplier encore ces zones franches où, à coup de détaxes et de réduction d'une législation sociale déjà squelettique, on fait les yeux doux aux investisseurs internationaux ? La mondialisation serait une chance pour le Tiers Monde, grâce aux emplois qu'elle permet. A l'aide de quelques exemples, précisons les termes de cette bonne action. Une marque américaine, mondialement connue, fait fabriquer ses chaussures et vêtements de sports en Asie et en Amérique latine ; le salaire *total* des 650 000 ouvriers, femmes et enfants pour la plupart, qui ont à travers le monde la chance d'être ainsi employés à découper, coudre, coller et emballer baskets et survêtements, n'atteint que la moitié du budget publicitaire (il est vrai que pour s'offrir l'image de l'idole des terrains de basket, la marque a dû aligner en 1984 la bagatelle de 20 millions de dollars) ; grâce à cette saine gestion des frais de personnels, le coût de la main d'œuvre de fabrication n'entre que pour 0,3% dans le prix de détail d'un polo, ce qui ne risque guère de mette en péril l'équilibre financier de l'entreprise ; on devine l'impact bénéfique que peut avoir sur le développement de la Thaïlande ou du Salvador le versement de salaires aussi généreux. Un exemple du même genre est fourni par une autre firme, surtout connue pour ses dessins animés, mais qui appose également sa marque sur des vêtements d'enfants et de jouets : le salaire de l'ouvrière du Bangladesh ne représente que 0,7% du prix de détail de la chemise qu'elle fabrique, et 25 fois moins que la dépense en publicité ; pour gagner ce que gagne le PDG en une heure, cette ouvrière devrait travailler 210 ans (mais il est normal que ce PDG soit bien payé, pour gérer un budget quatre fois et demi plus important que celui du Bangladesh, pays deux fois plus peuplé que la France). Et si les ouvrières ingrates réclament d'autres conditions de travail et de salaires, l'usine est déménagée vers la zone franche d'un pays encore moins regardant. Que ne fait-on pas pour amuser les enfants ! Des fois, on se dit que Donald ressemble de plus en plus à Picsou…

Ces pays doivent-ils accepter des investissements aussi colossaux qu'inadaptés, qui vont les écraser un peu plus sous le poids de la dette ? Doivent-ils continuer à se spécialiser dans l'enfouissement de déchets, ou dans la fabrication de produits polluants, ceux qui dérangent de plus en plus en Occident ? L'absence de réglementation dans le domaine de l'environnement comme dans le domaine social, quel magnifique moteur de développement. Oh bien sûr, la méthode porte des fruits. Et quels fruits ! L'Inde en est un bel exemple. Elle est devenue une puissance nucléaire et participe à la conquête de l'espace, et comme on l'a dit, son industrie cinématographique est florissante, ses informaticiens très réputés. Seulement, on meurt toujours autant sur les trottoirs de Calcutta ; des centaines de millions d'indiens souffrent encore de faim ou de sous-nutrition. Et si la production d'électricité a été multipliée par vingt en cinquante ans, 80% des indiens n'ont toujours pas accès à cette électricité, 90% même parmi les intouchables. Autrement dit, une toute petite minorité accède à la consommation telle que nous l'entendons. Le reste de la population, dans les villages, dans les bidonvilles, est totalement étrangère à cette évolution. On nomme développement l'accès d'une frange infime de la population à la voiture individuelle et à la maison climatisée. On nomme développement l'élargissement de la fracture sociale entre cette infime minorité qui accède à une richesse insolente, et la masse de la population confinée dans la misère.

Dans les villages, le mode de vie ne change guère. Bien, mal, tout dépend. La misère, cet état qui avilit en privant du nécessaire, n'est pas une fatalité dans le Tiers-Monde, ni même toujours une réalité. Toutes les sociétés traditionnelles sont développées à leur manière, c'est-à-dire capables d'assurer leur équilibre, même celles qui passent pour les plus primitives. La vie n'est pas nécessairement si misérable dans les villages d'Asie, d'Afrique ou d'Amérique latine, qu'on ne peut pas toujours regarder selon les seuls critères occidentaux. Les situations sont extrêmement variées. Là où des handicaps sont réels et graves, ils peuvent résulter de nombreuses causes : les conditions naturelles ; les structures politiques, sociales, culturelles ; mais aussi l'influence néfaste de relations internationales déséquilibrées et de l'emprise idéologique, économique et culturelle importée. Les équilibres peuvent être remis en cause par les mouvements de yoyo des cours de l'arachide et du coton, ou par les soubresauts de la bourse aux céréales de Chicago, qui provoquent soudain sur les marchés un afflux de blé européen ou américain et ruinent les producteurs locaux de mil ou de sorgho. La vie peut devenir impossible en raison de sécheresses ou d'inondations inexpliquées, dues à des causes naturelles, ou à l'action de l'homme, allez savoir… Le déboisement, le réchauffement climatique, le changement des méthodes de cultures, une irrigation mal conduite, l'élevage de crevettes destinées à l'exportation, qui prend la place des rizières et fait disparaître le poisson et le pêcheur...

Le prochain chapitre étant consacré à la question de l'alimentation, peut-on auparavant donner d'autres pistes pour une évolution à la fois possible et positive ?

Développement, énergie et endettement.

Vu dans le cadre de la mondialisation, le développement est impensable sans machines, sans usines, ponts, routes et ports, sans tours pleines de bureaux, sans tracteurs et bulldozers. Il nécessite donc le recours massif aux sources fossiles d'énergie. Il suppose que le Malien, qui doit actuellement se contenter en moyenne de 21 kilos d'équivalent-pétrole chaque année, et qui veut rattraper son retard sur l'Européen ou l'Américain, multiplie sa consommation par 200 ou 400. Si cette voie se révèle être en réalité une impasse, il faut chercher ailleurs la solution, et arrêter la promotion d'un mode de développement aussi vorace, aussi gaspilleur.

Pourtant, un accès raisonnable à l'énergie est indispensable, et on ne voit pas ce qui justifie encore à l'heure actuelle le fait que le quart de l'humanité ne dispose pas d'électricité, quand un autre quart la gaspille sans complexe. L'Occident se doit de procéder à un transfert de technologie vers les pays du Tiers-Monde, pour qu'ils puissent accéder rapidement aux sources d'énergie renouvelable et décentralisée permettant une amélioration des conditions de vie. Eoliennes, cuiseurs solaires, capteurs photovoltaïques, petite hydraulique, peuvent plus facilement et à coût raisonnable pénétrer les régions isolées démunies d'une infrastructure lourde et centralisée. Des expériences sont d'ailleurs menées depuis longtemps en Afrique avec des pompes solaires, d'autres sont en cours, en Bolivie ou ailleurs, sur des cuiseurs solaires familiaux, dont l'usage libère les femmes de la dure corvée de bois et permet de limiter la déforestation ou le recours aux énergies fossiles, et dont la fabrication, simple et peu onéreuse, ainsi que la diffusion, peuvent se faire localement, en dehors de toute dépendance vis à vis de l'Occident. Ces expériences ne demandent qu'à être encouragées au départ, et consolidées par la suite grâce à la mise en place d'un réseau local de maintenance.

Comme l'accès à l'énergie, l'accès à l'eau potable fait défaut pour plus d'un milliard d'hommes. C'est pourtant, avec le traitement des eaux usées et le ramassage des ordures, une condition primordiale à l'hygiène et à la santé. Bien avant les scanners et les opérations sophistiquées, les soins de santé primaire sont la condition suivante pour que le dynamisme d'une population ne soit pas miné par la mortalité infantile et par des maladies banales, souvent faciles à traiter. Ces points ont beau faire l'objet de promesses sans cesse renouvelées dans les conférences internationales, les choses ne bougent guère, alors que les mesures permettant leur avancée ne seraient pas si coûteuses pour la communauté internationale.

Le problème de la dette du Tiers Monde est débattu depuis plusieurs années. Il est urgent de passer l'éponge sur cette dette qui asphyxie tant de pays, et qui aurait été remboursée six fois par le cumul des intérêts payés. Mais l'annulation de la dette aura peu d'effets positifs si les erreurs passées se renouvellent, si elle n'est que le point de départ d'un nouveau cycle d'endettement auprès de banques internationales, pour des projets à l'occidentale, pour une l'industrialisation à marche forcée, ou pour des réalisations pharaoniques dispendieuses. Il faut au contraire repartir sur de nouvelles bases, selon lesquelles les populations locales verront leurs spécificités respectées, leur dignité reconnue indépendamment de leurs facultés à nous imiter et à entrer dans un jeu biaisé et sans issue.

Au plus près de la population, les prêts qui permettraient de sortir de la misère sont à des années-lumière de l'univers des grandes banques internationales. Ils sont d'un tout autre ordre, quelques dizaines d'euros le plus souvent. Les banques classiques sont évidemment inaccessibles à ce genre de clientèle, avec leurs frais de dossier, leurs paperasses incompréhensibles et leurs demandes de garantie. Reste le recours à l'usurier ; mais c'est alors trop souvent le premier pas vers la dépendance définitive, qui peut dans certains pays obliger une famille enfermée dans une spirale de dettes à livrer ses enfants en esclavage au profit du créancier. Prenant conscience de cette situation, Muhammad Yunus, économiste bangladeshi, a fondé dans son pays la Grameen Bank (ce qu'on pourrait traduire par *Banque Villageoise*), une banque qui prête aux plus pauvres des sommes de l'ordre de quelques dizaines de dollars. Cette première banque de "microcrédit" a essaimé dans de nombreux pays, et a fait des émules, qui sont devenus des moteurs efficaces pour le recul de la misère. J'ai rencontré au Bangladesh une famille qui avait obtenu un prêt équivalent à une cinquantaine d'euros, grâce auquel le mari avait pu acquérir le rickshaw qu'il conduisait. Auparavant, il devait donner chaque jour au propriétaire de ce vélo-pousse la moitié de sa recette ; il peut désormais tout garder pour faire vivre sa famille, une fois retirée une somme minime pour le remboursement de son prêt. De son côté, sa femme avait planté quelques arbres fruitiers autour de sa cabane. Certes, ce n'est pas l'opulence, mais c'est déjà la sortie de la misère. Ailleurs, c'est une femme qui achète une machine à coudre pour ouvrir un petit atelier. Ou encore un fabricant de sièges en rotin qui peut acheter à l'avance la matière première en gros, plutôt que de continuer à dépendre du grossiste qui, sur les cinquante roupies des sièges finis, lui retenait chaque soir quarante-cinq roupies pour le rotin du lendemain. Ailleurs encore, c'est la mise à disposition d'une jeune truie, qui sera élevée selon les techniques traditionnelles, et remboursée lors de la vente des porcelets.

Et ce système de microcrédit marche ; il est rentable. Les pauvres ont à cœur de rembourser. De plus, ces banques particulières prêtent en général dans le cadre de groupes qui peuvent s'épauler dans le cas où l'un des membres serait en difficulté. C'est un peu le principe de la tontine, institution traditionnelle dans de nombreux pays, notamment en Afrique, qui est ici amélioré et étendu. Un système efficace de solidarité.

Scolarisation ou éducation ?

Le consensus est tellement général sur l'importance de la scolarisation qu'il paraît inutile d'insister. Les progrès dans ce domaine sont vus à la fois comme une marque du recul de la misère, et comme une condition à ce recul. Ils vont de pair en particulier avec le reflux du travail des enfants.

Conséquence, sans doute. Condition presque automatique de progrès de tout un peuple, et même de progrès individuel, ce n'est pas toujours aussi sûr. Car la scolarisation, surtout quand elle est calquée sur ce qui se fait en Occident, n'est pas exempte d'effets pervers. Que gagnent à être scolarisés les enfants des Bochimans, des Yanomanis, des Inuits et des tribus semi-nomades des collines de Birmanie ? Ces peuples dont le territoire se réduit comme peau de chagrin seront-ils plus à même de se défendre contre la disparition, ou cette disparition n'en sera-t-elle que mieux assurée par une scolarisation vue d'abord comme un chemin vers l'assimilation ? L'éducation est primordiale, mais c'est peut-être un peu court de systématiquement confondre éducation et scolarisation, car l'éducation peut se faire de bien des manières. C'est pourquoi, même pour les peuples moins isolés et davantage confrontés au monde moderne, la scolarisation n'a pas nécessairement que des effets bénéfiques. Gustavo Esteva, économiste mexicain réputé, parle des personnes rencontrées dans les villages de son pays : *"Ce sont des indigènes pleins de sagesse qui n'osent partager leur savoir ou qui le dévaluent, parlant à voie basse "parce qu'ils n'ont pas été à l'école" ; des femmes qui devaient leur prestige et leur renommée au sein de leur communauté au fait qu'elles aidaient les femmes à accoucher, mais qui se heurtent aujourd'hui à l'interdiction des autorités parce qu'elles n'ont pas de diplômes ; des vieux angoissés par le regard méprisant de leurs enfants universitaires, même si les enfants se sentent aussi frustrés qu'eux en découvrant qu'ils n'ont pas trouvé l'emploi qui semblait leur être destiné. Partout aussi, je trouve des "morts-vivants", des gens qui ne sont ni d'ici ni d'ailleurs, qui n'ont pas eu la chance d'apprendre une tradition parce que depuis leur plus tendre enfance, on les a confinés dans des institutions qui les ont soustraits à leur monde immédiat et où on leur a appris des besoins auxquels ils n'ont pas accès. Je découvre des personnes qui ont été obligées de déserter l'école à un niveau plus ou moins avancé et qui sont privées des habiletés et du réseau de solidarité du monde qui les a vues naître, mais qui ne peuvent rien faire avec ce qu'elles ont appris à la ville et qui sont frustrées de n'avoir pu arriver au bout de l'entonnoir éducatif."* Et il raconte l'histoire de ce dirigeant de village auquel ses enfants demandent : *"Pourquoi nous avez-vous envoyés à l'école, père ?"* Le père a cru qu'ils pourraient enrichir la vie des villageois et avoir une vie meilleure. Mais *"les enfants, de leur côté, sont vite tombés dans une grande perplexité. Plus le temps passait, plus ils se demandaient comment ils pourraient appliquer l'enseignement qu'ils recevaient et qui avait plutôt tendance à les éloigner du monde d'où ils venaient..."*

On pourra faire remarquer que les jeunes bretons ayant poursuivi leurs études dans la première moitié du vingtième siècle ont été confrontés un peu aux mêmes questions. Seulement, c'était dans l'optique d'une intégration de la société rurale entière dans la France moderne. Le succès des informaticiens indiens peut au premier abord faire penser qu'il en sera de même pour tout le Tiers-Monde. Tout cet ouvrage s'inscrit en faux par rapport à cette perspective de généralisation de notre modèle.

Peut-on imaginer que l'éducation et la transmission des savoirs puissent passer par un autre canal que celui de l'école telle que nous la concevons ? Pour les occidentaux, c'est un élément essentiel des solutions toutes prêtes nées chez nous. Et d'ailleurs la plupart des peuples sont fortement demandeurs d'écoles. Cette demande quasi-universelle suffit-elle à classer comme bénéfique pour tous une école d'inspiration plus ou moins occidentale ? Visitant une école de brousse africaine, un ami s'est rendu compte que les jeunes filles y étudient la crise économique de 1929 en Occident : est-ce vraiment là leur première priorité ? Ce mimétisme culturel n'est-il pas d'abord le signe de cette imprégnation de nos valeurs qui afflige les sociétés traditionnelles d'un complexe d'infériorité ? Dans la perspective selon laquelle le développement doit conduire à une société calquée sur la nôtre, la scolarisation est une évidence. Mais si l'on considère que chaque peuple peut et doit évoluer selon son génie propre, c'est à voir : le mode d'éducation et de transmission de savoirs peut lui aussi être réinventé.

Nous sommes là en pleine provocation. Ces questions sont aujourd'hui sans réponses, puisqu'elles ne sont que très rarement posées. Raison de plus pour les poser, justement.

J'ai rencontré au Bangladesh une organisation non-gouvernementale qui, loin des compromissions, des corruptions et de la gabegie, sans recevoir une pluie considérable de dollars, réalise un travail remarquable. Fondé lors de la guerre d'indépendance de 1971 par de jeunes médecins convaincus, *Gonoshasthaya Kendra* (Centre de Santé Populaire) s'est d'abord investi dans le domaine de la santé (formation de travailleurs de santé primaire, fabrication de médicaments génériques de base, mise en place d'une assurance-maladie accessible aux plus pauvres), avant de diversifier son action vers l'éducation des enfants et l'alphabétisation des adultes, la promotion des femmes par la formation professionnelle, le soutien aux minorités ethniques, la reforestation, l'agriculture...

L'efficacité de ce type d'organisation locale confirme les propos suivants, tenus pas le directeur d'un organisme de recherche sur l'environnement, à propos de l'échec de projets dantesques comme celui qui avait été concocté par de bonnes âmes européennes, et qui consistait à endiguer totalement les milliers de rivières du Bangladesh : "*Les organisations internationales devraient écouter les gens du pays plutôt que faire travailler à 1000 dollars la journée des consultants qui ne sont jamais venus au Bangladesh... Donnez-nous seulement 10% du budget de ces organisations et nous trouverons, en concertation avec les habitants, des solutions qui amélioreront leur vie quotidienne.*" Loin de la Banque mondiale, des choses se font et se font bien ; là réside l'espoir.

L'important n'est pas de vouloir mener en rang par deux le monde entier vers notre modèle, dont nous avons dit qu'il est sans issue. L'essentiel est que chacun puisse trouver les conditions pour échapper à la misère et construire un avenir possible, selon ses aspirations et son génie propre.

Voilà pourquoi il est si urgent d'inventer un autre modèle pour nous d'abord, pour qu'ensuite ce modèle nouveau puisse peut-être se généraliser en s'adaptant, si d'autres le souhaitent, d'autres qui pour l'instant n'ont à envier qu'un modèle non généralisable. Voilà pourquoi il est urgent de préserver les ressources irremplaçables que nous gaspillons, afin que toutes les populations, et surtout les plus démunies actuellement, ne soient pas acculées à des impasses techniques, économiques, sociales et écologiques pendant les phases d'une évolution dont le droit ne saurait leur être refusé.

Les sociétés traditionnelles ont adapté leur mode de vie à leur environnement. La société industrielle s'efforce d'adapter l'environnement à son mode de vie. Et le développement durable prétend généraliser cet état de fait et le prolonger indéfiniment. C'est irréaliste. C'est suicidaire.

Notre technologie n'est ni bonne ni mauvaise en soi. Elle est capable du meilleur comme du pire. Le meilleur, nous l'apprécions chaque jour. Le pire commence quand la technologie et la finance prétendent détenir la vérité, avoir réponse à tout, modeler le monde, formater la vie. Le pire se construit dans la prétention à vouloir s'approprier le monde, comme s'il était inoccupé, ou habité de seuls gêneurs.

Il est temps d'inventer le "dé-développement", de mettre un terme à la colonisation culturelle et économique du monde par les seules valeurs occidentales, de démonétiser autant que faire se peut les rapports humains, pour retrouver, en antidote au tout-commercial et au toujours-plus, le sens du gratuit et du qualitatif.

LA FAIM DU MONDE

En 1984, aucun homme, femme ou enfant ne s'endormira plus en ayant faim.

Henry Kissinger (en 1974)

Sur les six milliards d'humains que porte la Terre, si un milliard est souvent suralimenté, deux milliards restent sous-alimentés, et plus de 800 millions (dont les trois-quarts sont des paysans) souffrent de la faim. Comment nourrir neuf à douze milliards d'habitants dans cinquante ans ?

On nous a dit que, le problème de la faim étant un problème de pauvreté, sa solution est dans le développement ; que le développement passe par la concurrence internationale et l'intégration dans le commerce mondial, seuls capables de mobiliser les plus performants et de les rendre encore plus performants. On a vu ce qu'il en est... La faim se réduit alors à un problème technique (la révolution verte donnera aux meilleurs les moyens de devenir encore plus productifs), et un problème commercial (ceux-ci, où qu'ils soient, nourriront la Terre entière).

Joli programme, contesté par Jean-Luc Duval, président des Jeunes Agriculteurs, un syndicat qui ne se revendique pourtant pas d'extrême-gauche. Dans un point de vue intitulé *: "Laissez les paysans du Tiers-Monde protéger leur marché",*[7] celui-ci s'élevait en 2001 contre la prétention du G8 à imposer à l'agriculture des pays pauvres la mondialisation libérale :

"Regardons du côté de ceux qui sont chargés de nourrir tout le monde : nous sommes environ un milliard trois cents millions d'actifs agricoles. Environ un milliard d'entre nous travaille chacun une surface guère supérieure à un hectare, avec un équipement réduit à un ou deux instruments de type houe : leur productivité est de l'ordre de 10 quintaux d'équivalents céréales par actif et par an.

"Quasiment tous les autres disposent d'une ou de deux bêtes de traction, pour tirer le plus souvent un araire et, au mieux, une

---

[7] *"Le Monde",* 27 juillet 2001

charrue... car on compte dans le monde seulement 28 millions de tracteurs. Les plus performants permettent, comme ceux que je représente, de produire l'équivalent de 10 000 quintaux de céréales par actif et par an.

"Le projet de M. Bush est tout simplement de mettre en concurrence ces producteurs à 10 000 quintaux par actif avec ceux qui en produisent 10. Vous avez dit "concurrence" ? J'appelle cela un jeu de massacre. Pour une fois, les chiffres parlent d'eux-mêmes. L'équation est simple : il faut multiplier par trois la production alimentaire mondiale. Où sont les futurs gains de productivité ? Dans les plaines de l'Iowa et de la Beauce, où quelques milliers de paysans peuvent espérer passer de 100 quintaux par hectare à 150 ? Ou partout ailleurs dans le monde, où un milliard de paysans devraient pouvoir passer de 10 à 15 quintaux, comme nous en Europe au début du dix-neuvième siècle ? Les ayatollahs de la liberté des échanges commerciaux croient dur comme fer que toute mise en concurrence est toujours bonne à prendre. Ce que je prétends, c'est qu'en matière d'agriculture, et, par suite, d'alimentation, c'est une ineptie."

Oui, l'agriculture des pays pauvres doit être protégée. Ce n'est qu'à cette condition qu'elle pourra survivre et progresser, au travers d'une certaine amélioration des techniques de culture et d'élevage. Comme le remarque Jean-Luc Duval, l'objectif n'est pas la plus grande productivité par travailleur : le match entre 10 et 10 000 quintaux n'a aucun sens. Ce qui compte, c'est ce que peut produire durablement un hectare pour nourrir effectivement la population. Ce qui compte, c'est dans quelles conditions le paysan pourra vivre sur la terre qu'il cultive.

Prix bas : l'engrenage infernal

La faiblesse actuelle des prix agricoles crée dans le monde une situation absurde : pour les denrées comme les céréales, qui peuvent se stocker, et s'échanger sur une longue distance, un prix mondial s'établit à partir de la loi de l'offre et de la demande ; seulement, aucun paysan du monde, même le plus performant, ne peut vivre de son travail en vendant à ce prix. Les agriculteurs américains et européens ne s'en sortent qu'avec les aides de l'état (aides directes, subventions) avouées ou camouflées. (On peut au passage s'étonner que les tenants de l'orthodoxie libérale ne s'insurgent pas contre cette situation contraire à toutes les fameuses "lois du marché".) Les paysans du Sud n'ont évidemment aucune aide de ce type à attendre de leurs pays, aux budgets squelettiques. Aussi, quand leurs frontières laissent entrer au cours mondial les céréales occidentales, ce qui est de plus en plus le cas en vertu des règles de libre-échange de l'OMC, ils se retrouvent étranglés par cette concurrence.

Le coût de la main d'œuvre dans les pays du Sud étant suffisamment faible pour appeler les délocalisations dans des secteurs comme celui du textile, de la chaussure, et beaucoup d'autres industries, on peut se demander pourquoi ces paysans sont incapables de vivre en vendant blé, maïs, mil ou sorgho au prix mondial actuel, de l'ordre de 6 ou 7 euros le quintal. La réponse réside dans la productivité d'un actif agricole. Admettons, en écho à la citation précédente, que le paysan armé de sa houe réussisse à récolter 10 quintaux, qui lui suffisent pour nourrir correctement sa famille. Il a aussi besoin de quelques rentrées d'argent, même minimes, pour l'habillement, le logement peut-être, ou la réparation de sa houe cassée. S'il lui faut 40 euros pour les frais de l'année, et si le quintal se vend 20 euros, il lui suffit d'en vendre 2, et les 8 qui restent seront peut-être suffisants pour se nourrir tant bien que mal. Mais que le prix de vente baisse jusqu'à 7 euros, et rien ne va plus : il devra vendre 6 quintaux, et c'est pour lui la famine.

Encore récemment, les États-Unis apportaient à l'Éthiopie une aide alimentaire sous forme de blé, un blé qui se retrouvait sur le marché local pour moins de 5 euros le quintal. Incapable de vivre du prix de vente de sa récolte, le paysan éthiopien tombe encore un peu plus dans la misère, doit vendre son bétail, dont le fumier apportait jusque là le seul fertilisant à ses terres ; les rendements chutent encore, et le cercle vicieux de la misère se referme. Conscient de la nocivité de cet engrenage, le gouvernement éthiopien a demandé aux USA de remplacer cette "aide" en blé par un équivalent financier. Refus américain, en vertu de la loi PL 480 sur l'aide alimentaire.

Dans un pays pauvre, que devient le paysan ainsi réduit à la misère ? Il se tourne vers la ville, où il essaie de trouver un emploi pour gagner de quoi s'acheter ce qu'il ne peut plus produire lui-même : les dix quintaux de céréales nécessaires pour nourrir sa famille, et un peu d'argent supplémentaire pour les quelques dépenses incontournables. Dans un contexte de chômage effrayant, l'employeur éventuel le voit venir : sachant que le blé se trouve à moins de 7 euros, il peut descendre très bas dans son offre de salaire. Ainsi, la baisse des prix agricoles, observée depuis longtemps, se révèle une machine redoutablement efficace pour faire baisser les coûts de la main d'œuvre et étendre la misère au Sud.

Face aux paysans ruinés, les gros planteurs, les empires de la banane et autres majors de l'agriculture d'exportation peuvent faire main basse sur les meilleures terres. Disposant des capitaux nécessaires, des moyens techniques les plus modernes et d'une main-d'œuvre sous-payée, ils ne se contentent pas d'exporter bananes et ananas : ils peuvent aussi se permettre de concurrencer les produits occidentaux sur leur propre terrain, et de tirer à leur tour les prix à la baisse, en proposant le manioc et le soja pour les élevages industriels américains ou européens, ou directement la viande pour les fast-foods. Les agriculteurs occidentaux ont alors besoin de nouvelles aides pour résister à ce retour de bâton, et la boucle est bouclée.

Nourriture ou développement ?

Dans cette lutte du pot de terre contre le pot de fer, les cultures vivrières sont progressivement refoulées par les grandes cultures d'exportation sur les terres les plus ingrates. Alors, c'est vrai, le commerce international y trouve son compte. La population est-elle mieux nourrie ? Pas par la production vivrière locale en tous cas, qui devient marginale. Reste l'importation de nourriture, souvent moins chère que les produits locaux, nous l'avons vu. Encore faut-il que le paysan ruiné par ces importations dispose d'un revenu pour se payer cette nourriture qu'il n'a plus les moyens de produire lui-même.

Au Costa-Rica, la production de bœuf a triplé en vingt ans : il faut bien alimenter les chaînes de production de hamburgers. Mais la viande de bœuf est désormais inaccessible au Costaricain moyen.

En Asie du Sud, l'élevage des crevettes est la nouvelle recette miracle du développement. Cette production, qui chasse les pêcheurs pauvres, qui refoule ou empoisonne les rizières côtières, n'est pas destinée à la nourriture des populations du Bangladesh ou de la Malaisie mais aux rayons de surgelés de nos hypermarchés.

Au Brésil, plus de la moitié de la destruction de la forêt amazonienne, destruction financée par la Banque Mondiale, a été réalisée dans le but de former d'immenses exploitations consacrées notamment à la culture du soja destiné aux élevages occidentaux, ou à l'élevage d'exportation. Moins d'un cinquième des terres défrichées a été consacré à l'installation des paysans déplacés. Devenu ainsi le troisième exportateur agricole mondial, le Brésil a vu le pourcentage de sa population touchée par la malnutrition passer d'un tiers dans les années soixante à deux tiers, vingt ans plus tard : pendant que la production destinée à l'exportation explosait, la production de riz et de haricots chutait.

Plus du tiers du riz exporté dans le monde provient de Thaïlande, mais le pays connaît de graves problèmes de sous-alimentation : les denrées cultivées dans le pays sont trop chères pour la majorité de la population, aux revenus misérables.

Au moment des famines de 1971-1976, et de 82-85, l'Éthiopie continuait à détourner une partie importante de ses terres agricoles pour les cultures d'exportation. Au plus fort de la famine, ses ventes à l'Europe de céréales et autres aliments du bétail étaient même plus importantes que jamais.

On pourrait, hélas, multiplier de tels exemples.

Pour un cercle vertueux

Pour éviter ce massacre de la paysannerie du Sud par la conjonction entre les prix bas et le libre-échange, il faut organiser la protection de l'agriculture, en supprimant les subventions aux exportations des pays riches vers les pays pauvres (y compris les "aides" en nature, sauf en cas de véritable urgence humanitaire, lorsque les régions voisines ne peuvent suffire à faire face), et en permettant à ces derniers de se protéger par des taxes à l'importation. N'étant plus soumis à une concurrence effrénée et insupportable, les paysans pourront retrouver un revenu leur permettant d'abord de vivre, au lieu d'avoir comme seule perspective la fuite vers les bidonvilles. Progressivement, ils pourront ensuite épargner et investir dans des outils permettant un travail moins pénible et plus efficace, éventuellement l'achat d'un peu de bétail, qui apportera un revenu complémentaire, produira du fumier pour améliorer la fertilité du sol, et rendra peut-être possible un début de culture attelée.

Les gains de productivité ne prennent pas des siècles, dès que les prix sont soutenus : après guerre, il a fallu une petite vingtaine d'années pour que la CEE, où se pratiquait la préférence communautaire, passe de l'insuffisance alimentaire à la surproduction. Avec des méthodes qu'on peut espérer moins brutales, le Tiers-Monde peut en quelques années obtenir également cette autosuffisance et mettre ainsi un terme au scandale de la faim ; ensuite, son agriculture pourra suivre la courbe de la croissance de sa population. Point besoin de beaucoup d'aide pour cela, mais d'abord le droit de mettre en place des règles équitables et efficaces.

C'est dans un tel cercle vertueux qu'est entrée l'agriculture européenne, surtout à partir du début du dix-neuvième siècle, amorçant un bond fabuleux de productivité... jusqu'aux débordements des dernières décennies. Longtemps, le paysan européen s'est surtout nourri lui-même, avec sa famille, ne vendant qu'un peu de surplus aux rares non-paysans : l'autoconsommation était prépondérante, la commercialisation marginale.

Au cours des siècles, le progrès, lent, des techniques a permis une augmentation de la productivité, permettant au paysan de vendre un peu plus : si pour se nourrir, il a besoin de 8 quintaux, et s'il en récolte 10, il en a 2 à vendre ; si son rendement monte à 14, il en vendra 6, c'est-à-dire trois fois plus. Ou bien il peut consacrer une part de ses terres à l'élevage : sa vache et son cochon lui permettent de diversifier son alimentation ou ses ventes, et produisent du fumier qui améliore ses rendements ; il peut aussi atteler sa vache à un araire, et son travail devient un peu moins pénible. Le cercle vertueux est amorcé.

La révolution fourragère accélère le processus : l'habitude était de laisser la terre en jachère une année sur deux ou trois, afin qu'elle se repose ; vers la fin du dix-huitième et le début du dix-neuvième siècle, les cultures de légumineuses, comme le trèfle, ou les racines fourragères, comme la betterave ou le rutabaga, commencent à se répandre. Tout en enrichissant le sol, ou en le nettoyant, ces cultures produisent du fourrage pour nourrir davantage de bétail, qui donne davantage de fumier, qui enrichit encore le sol, qui produit encore plus (entre 1800 et 1810, les rendements bondissent de 8 à 12 quintaux). Pour que cette révolution fourragère soit possible, une décision politique a été nécessaire : le système de la "vaine pâture", en vigueur sous l'Ancien Régime, donnait le droit à toutes les bêtes du village de paître après la récolte sur toutes les terres ; le droit pour chacun d'enclore ses parcelles, réclamé dans les cahiers de doléances de 1789, et accordé quelques années plus tard, permettait désormais d'y semer les légumineuses sitôt la moisson…

Plus tard, une autre révolution, technique celle-ci, a pris le relais : mécanisation, motorisation, emploi d'engrais chimiques et de pesticides, implantation de nouvelles cultures (maïs hybride…), irrigation, élevage intensif, OGM,… Et, dans la vie du paysan occidental, devenu successivement cultivateur, agriculteur, puis exploitant agricole, révolution culturelle, révolution de l'habitat et du mode de vie. Nous en avons parlé…

Cette révolution agricole n'a pas eu besoin de mondialisation pour se réaliser. Elle s'est accomplie dans un contexte de protection : même dans les périodes où le libre-échange était prôné, les difficultés de transports apportaient une protection de fait. Récemment encore, la protection était de règle au sein de la CEE, qui pratiquait la préférence communautaire et maintenait des taxes à ses frontières extérieures. Qu'est-ce qui oblige aujourd'hui à renoncer à toute protection, sinon les fatwas des ayatollahs de la mondialisation, et le fatalisme des politiques trop crédules ?

Aujourd'hui, une telle protection n'aurait généralement pas de sens ni d'utilité pour un pays isolé, mais devrait plutôt s'envisager pour un ensemble régional aux conditions de productivité comparables, où les échanges peuvent se faire sans que la concurrence devienne un jeu de massacre. De tels ensembles existent déjà, de manière plus ou moins accomplie : l'Union Européenne bien sûr, mais aussi l'ALENA entre les États-Unis, le Canada et le Mexique (le cas du Mexique est déjà très discutable, pour ce qui est de l'homogénéité), le Mercosur en Amérique du Sud, l'UEMOA en Afrique de l'Ouest.

Dans le Tiers-Monde, à l'intérieur de tels ensembles, les prix agricoles pourraient être protégés, par l'instauration de préférences communautaires, de taxes aux importations, introduites de manière évidemment graduelle pour que les consommateurs pauvres puissent s'adapter à la remontée des cours et continuer à se nourrir. Et en cas de déficit alimentaire dans un coin du Burkina Faso, on n'inondera plus la région avec le blé du Minnesota ou de la Beauce, mais on se fournira dans la région voisine, ou en Côte d'Ivoire ou au Bénin, avec le sorgho qui s'y trouve en excédent, et reste plus adapté aux habitudes locales. Loin de participer comme les exportations occidentales à la misère des campagnes et à l'exode rural, ces échanges locaux de nourriture, à des prix corrects, assurent aux paysans un débouché et un revenu décent ; ils sont bénéfiques à toute la région et permettent d'aller vers l'indépendance alimentaire. Au cercle vicieux actuel, il s'agit de substituer progressivement un cercle vertueux entre la hausse des prix agricoles, celle des salaires, l'amélioration des conditions de vie et de travail, l'épargne, l'augmentation des rendements...

En Occident, le problème est plutôt celui de la sur-productivité. Pour faire disparaître les aides, ou en tous cas les limiter à certains cas très particuliers (agriculture de montagne, par exemple), il convient donc de faire remonter les cours en maîtrisant la production. Les systèmes des droits à produire (quotas, droits de plantations, limitation du nombre d'animaux, gel des terres, ...) ont une efficacité certaine, à défaut d'être faciles à répartir de manière juste, et d'être toujours très cohérents. Le système proposé plus haut, consistant à déplacer les cotisations sociales vers des taxes touchant les engrais et pesticides, mériterait d'être examiné, pour sa vertu à limiter l'intensification et ses conséquences, en terme de surproduction et de pollution.

Evidemment, l'idée d'une protection du marché du riz, du blé ou du mil est une hérésie face à la pensée unique, pour laquelle seule la dérégulation totale du commerce peut apporter la prospérité. Le protectionnisme a mauvaise presse, il évoque un système nationaliste du passé, dans lequel chacun se barricade derrière ses frontières, avec l'idée que les autres vont de leur côté laisser leur marché ouvert et se laisser envahir. Il ne s'agit pas de cela ici : il s'agit de mettre en concurrence des partenaires comparables dans un match loyal. Jean-

Michel Lemétayer, président de la FNSEA, le puissant syndicat agricole, a déclaré : *"l'OMC est un arbitre, et je ne suis pas de ceux qui crient : à mort l'arbitre !"* On ne pourrait que souscrire à ces propos, à condition toutefois que l'arbitre soit intègre et compétent, et que la partie soit honnête. Ce n'est pas le cas si on place sur le même terrain des équipes d'athlètes surentraînés, gonflés aux anabolisants, et d'autres, rassemblées de force au hasard des rues, des maigrichons, des vielles dames, des enfants, des éclopés. L'OMC a beau être présente pour vérifier que chacun est muni du même gourdin, lorsque tout le monde commence à se cogner dessus, c'est le massacre, comme le remarque Jean-Luc Duval, et il faut y mettre fin.

Car les faits sont là : le dumping généralisé massacre l'agriculture du Sud pour instaurer le monopole de fait du Nord sur la production alimentaire mondiale. Si c'est involontaire, c'est une ineptie totale ; sinon, ce système est une monumentale escroquerie, qui vise délibérément à confier aux États-Unis et à l'Europe l'arme de la faim, pour leur permettre de mieux dominer le monde. Chacun se souvient des chocs pétroliers des années 70, sans toujours en avoir saisi une de ses conséquences : en faisant grimper le prix du pétrole, l'OPEP a permis à beaucoup d'investissements de devenir rentables, par exemple les forages en mer ; de ce fait, les ressources de pétrole se sont diversifiées, et l'OPEP a perdu le monopole qu'elle détenait ; elle doit désormais compter avec de nouveaux pays producteurs. C'est un tel scénario que les lobbies céréaliers américains veulent éviter ; en veillant à ce que les cours demeurent très bas, et soient compensés chez eux par des aides, ils empêchent le progrès au Sud, et conservent ainsi le pouvoir de faire la pluie et le beau temps.

Dans son discours au Congrès 2001 des Jeunes Agriculteurs, Jean-Luc Duval s'inscrit en faux par rapport à ce cynisme bien camouflé, et se déclare *"résolument favorable à un droit universel : le droit des peuples à se nourrir eux-mêmes"*. Et il condamne *"cette course débilitante aux gains de productivité par économie d'échelle, qui consiste à produire la même chose que son concurrent, mais moins cher"*.

La demande de nourriture est immense dans le monde, mais reste en partie insolvable. On peut chercher à satisfaire cette demande insolvable en généralisant le système des aides, en transformant une partie de la Terre en un immense resto du cœur. On a vu tout ce qu'il peut y avoir d'humiliation d'un côté, d'hypocrisie de l'autre, d'effets pervers des deux côtés, derrière cette vision a priori généreuse. L'autre option consiste à rendre cette demande solvable. Pour atteindre ce but, peut-on faire baisser les prix jusqu'à ce que ceux qui en ont besoin puissent enfin s'acheter ce qui leur manque ? Cette baisse des cours est évidemment un leurre, puisqu'elle entraîne, on l'a vu, la baisse des salaires et la ruine des paysans, prélude à un appauvrissement général : les prix peuvent tomber très bas, ils seront toujours trop forts pour ceux qui n'ont rien. Il s'agit plutôt de laisser à ces derniers les moyens de sortir de la misère pour pouvoir se procurer le nécessaire.

Au début des années 80, Haïti taxait à 100% les importations de céréales. Un représentant de la Banque Mondiale expliqua au gouvernement haïtien pourquoi il devait renoncer à cette taxe. A l'époque, le cours mondial du blé étant d'environ 100 F le quintal, la taxe en vigueur le mettait à 200 F sur le marché haïtien. A ce prix, l'ouvrier haïtien ne pouvait survivre qu'avec un salaire "exagérément élevé" selon la Banque Mondiale, ce qui rebutait les investisseurs étrangers ; la suppression de cette taxe permettrait d'abaisser le coût de la main d'œuvre et d'attirer ces investisseurs ; on pouvait attendre 100 000 emplois de cette mesure. Un expert indépendant essaya de contrer ce raisonnement imparable, en mettant le doigt sur un effet non pris en compte, et fort préoccupant : la suppression de la taxe allait déstabiliser le marché, et provoquer ainsi la ruine et la disparition de plus de 500 000 paysans. 100 000 contre 500 000... Résultat ? La Banque Mondiale eut le dernier mot, et la taxe fut supprimée, au grand dam des paysans haïtiens.

La révolution verte

La protection de l'agriculture du Sud étant assurée, l'Occident peut fournir une certaine aide technologique pour favoriser et accompagner ses progrès, à condition que ce soit avec beaucoup d'humilité, avec beaucoup de prudence quant aux effets pervers. Ayant commencé à découvrir douloureusement chez nous les limites des techniques dures de l'agriculture, on peut douter que la solution au Sud consiste à transposer purement et simplement les méthodes culturales qui détruiront encore plus sûrement la structure fragile des sols tropicaux, à grand renfort d'engrais et de pesticides, de labours profonds, d'irrigation incontrôlée, d'élevage industriel, ni à introduire les semences hybrides ou génétiquement modifiées qu'il faudra renouveler chaque année à grands frais, pour un bénéfice douteux, sauf pour les firmes productrices.

Le type de discours selon lequel les OGM vont permettre au Tiers-Monde de mieux se nourrir n'est pas nouveau : depuis les années 60, la révolution verte est censée résoudre miraculeusement le problème de la faim. De nouvelles variétés de riz à haut rendement ont déferlé sur l'Inde. Au Pérou, pays d'origine de la pomme de terre, des variétés, à haut rendement elles aussi, ont été implantées. Dans ces deux cas parmi beaucoup d'autres, le miracle annoncé, prospérité pour les paysans et pour le pays tout entier, n'a pas eu lieu : ces variétés si prometteuses sont en fait trop gourmandes, trop exigeantes, trop fragiles. Prenons l'exemple de ces nouvelles pommes de terre : il leur faut beaucoup d'engrais et d'eau ; elles sont facilement envahies par les vers qui les rendant immangeables et par les doryphores qui les dévastent ; elles sont sensibles au mildiou qui les fait pourrir, et au gel, redoutable en altitude. Certes, ces variétés sont superbes pour des techniciens capables de sortir leur pulvérisateur plus vite que leur ombre, mais elles sont totalement inadaptées aux rudes conditions des Andes. Aussi, après tant de déconvenues ruineuses, les paysans péruviens tentent aujourd'hui de retrouver celles qui n'ont pas disparu parmi les quelque 500 variétés locales qui ont prouvé leurs mérites avant la fameuse révolution verte.

Un agronome américain, spécialiste de la pomme de terre, juge que *"notre génération est la première de l'Histoire à avoir perdu plus de savoirs qu'elle n'en a acquis"*. Opinion contestable a priori, face à la somme des nouvelles connaissances scientifiques acquises. Mais si l'on considère non pas celles qui sont accessibles à quelques spécialistes pointus, mais celles qui sont essentielles dans la vie du commun des mortels, cette phrase montre sa pertinence. Ce n'est pas inintéressant de découvrir la forme des quarks à l'intérieur du proton, c'est la grandeur de l'homme de chercher de telles réponses ; et il est important, paraît-il, d'arriver à multiplier par cent la vitesse d'un microprocesseur ; mais si dans le même temps, les indiens quetchuas perdent les connaissances pratiques sur les pommes de terre qui leur permettaient de se nourrir au mieux, c'est un drame.

A vouloir sauter les étapes, à vouloir ignorer le savoir acquis par des générations, on déstabilise gravement les équilibres humains et environnementaux. Pour les trois-quarts des paysans du monde qui ne disposent que d'outils manuels, le passage à la traction animale, lorsqu'elle et possible, est plus profitable que le saut brutal au tracteur climatisé. Si l'objectif est de transformer 5% des paysans en conducteurs d'ensileuses, ou en techniciens de porcheries industrielles, alors, les autres doivent se préparer à fuir vers les bidonvilles. Il est fondamental au contraire de laisser les paysans locaux maîtriser leur destin, en favorisant la formation de techniciens issus de leurs rangs, attentifs aux conditions locales, respectueux de l'expérience acquise, capables de guider l'évolution raisonnée des pratiques. Et pour cela, il est inutile de mobiliser les milliards de dollars de la Banque Mondiale.

L'amélioration de la condition paysanne et de la productivité nécessite aussi dans beaucoup de pays une véritable réforme agraire, notamment en Amérique latine. Toujours annoncée et toujours détournée de son sens, cette réforme n'arrive pas à voir le jour au Brésil, où les propriétaires d'immenses exploitations, dont les neuf dixièmes sont laissés à l'abandon, se considèrent comme au-dessus des lois, et refoulent impunément les petits paysans, les envoyant rejoindre les "sans terre". Voilà une question dont pourraient se préoccuper les organismes internationaux !

Les médecins de Molière avaient pour tout remède la saignée, qui épuisait à coup sûr le malade. Bardés d'aveuglement dogmatique, quand ce n'est pas d'incompétence, les Diafoirus de l'économie n'ont aujourd'hui que la mondialisation libérale à proposer. Pourtant, la faim n'est pas une fatalité. Les moyens existent pour la faire reculer. Pour les mettre en œuvre, il faut mettre un terme au règne de ces beaux parleurs. Il faut mettre un terme au cynisme de ceux qui font fortune sur la misère. Il faut mettre un terme au défaitisme et au suivisme des gouvernants qui se contentent de faire le beau devant les maîtres du Marché. C'est le rôle des peuples, de ce qu'on appelle la société civile, pour les années à venir.

LE NOMBRIL DU MONDE

L'homme une fois disparu, y aura-t-il un espoir pour le gorille ?
Daniel Quinn, *Ishmael*

On peut se demander pourquoi et comment l'Occident a pu en arriver à une telle suprématie à la fois économique, technologique et culturelle. Il semble animé du génie de la réussite. Le génie du progrès.

La certitude des bienfaits de la croissance, voire de son caractère sacré, est inscrite depuis longtemps dans notre mémoire collective d'occidentaux, depuis le siècle des lumières et le positivisme du siècle suivant, depuis la Renaissance même. Depuis beaucoup plus longtemps encore. On la trouve déjà dans les textes fondateurs de la civilisation judéo-chrétienne, aux tout premiers chapitres de la Genèse, le premier livre de la Bible. Ces textes proviennent de diverses traditions orales, et auraient été rassemblés probablement vers le cinquième siècle avant notre ère, après le retour d'exil du peuple d'Israël à Babylone.

"Au commencement, Dieu créa le ciel et la terre..." Selon sa culture religieuse, on connaît plus ou moins la suite : Dieu crée les astres, les océans et les continents, les plantes et les animaux. Puis, le sixième jour, Dieu crée l'Homme. *"Mâle et femelle, Il les créa"*. Notons au passage l'absence totale de sexisme dans ce texte. Puis Dieu dit : *"Soyez féconds, multipliez, remplissez la terre et soumettez-la..."* Et voilà, le décor est planté définitivement, dans ce premier chapitre de la Genèse. Et depuis, tous les gens du Livre, juifs, chrétiens ou musulmans, savent que l'Homme est au sommet de l'univers, et qu'il peut, non, qu'il doit croître, multiplier et soumettre la terre, avant de soumettre la galaxie demain. Et les agnostiques, et les athées les plus farouches, partagent peu ou prou, plutôt prou d'ailleurs, cette vision.

Le fruit défendu

A côté de ce texte, de tradition relativement récente, qui constitue le premier chapitre de la Bible, il existe un autre récit des origines, tout aussi connu mais beaucoup plus archaïque, placé dans les trois chapitres suivants. Rappelons les grandes lignes de ce mythe : Dieu plante un jardin en Eden, y crée Adam, "le Terreux", qu'il entoure d'animaux, puis lui donne une compagne, Eve, "la Vie". Ils disposent de tout le Jardin, sauf des fruits de l'Arbre de la Connaissance du Bien et du Mal, qui leur sont interdits. Ayant enfreint l'interdit, ils sont chassés de l'Eden. *"A cause de toi, le sol sera maudit. C'est dans la peine que tu t'en nourriras. A la sueur de ton visage tu mangeras du pain..."* Chassés du paradis, Adam et Eve ont deux fils, Caïn et Abel. Abel le berger est tué par Caïn, le laboureur jaloux de son frère.

Quels commentaires, quelles spéculations ce mythe n'a-t-il pas alimenté... Si l'histoire de Caïn, premier meurtre d'une longue série semble facile à décoder, si on a pu en tirer une morale simple, il n'en est pas de même de l'histoire de la Chute, et de cette "pomme" qui n'en est pas une. Quel est donc ce fameux et mystérieux Arbre de la Connaissance du Bien et du Mal ? Pourquoi est-il si grave d'en manger le fruit ? Qu'est-ce qui justifie une si lourde condamnation ? Tout ce qui en a été dit n'est pas toujours très convaincant, loin de là. Si on exclut la notion de gourmandise, qui ne tient pas vraiment la route, les commentaires les plus fréquents historiquement tournent autour de deux thèmes. En premier, la désobéissance, l'interdit étant une simple épreuve arbitraire pour tester la docilité de l'homme vis-à-vis de Dieu. En second, la concupiscence et la sexualité, ce qui n'apparaît pourtant pas probant au premier coup d'œil, même si c'était commode pour certains sermons du passé. Et dans les deux cas affleure l'idée, présente ailleurs et notamment dans le mythe de la boîte de Pandore, que décidément, la curiosité est un vilain défaut... Reste la question de la nature du fameux Arbre.

Dans *Ishmaël*, sorte de conte philosophique moderne, Daniel Quinn donne une explication pertinente. Selon lui, cette histoire reste absurde si on pense qu'elle est née parmi la population israélite bien installée sur son territoire, dans les villes d'Hébron ou de Jérusalem, ou dans les villages alentours. Mais elle prend tout son sens si on la considère comme beaucoup plus ancienne, née et transmise au sein des peuplades pré-sémites nomades au début du néolithique, c'est-à-dire à l'époque où sont apparues l'agriculture et la sédentarisation dans cette région qu'on a nommée depuis le croissant fertile. Ces pasteurs nomades se sont affrontés aux premiers agriculteurs, et ont fini par avoir le dessous. Refoulés progressivement avec leurs troupeaux vers les contrées les plus arides, les moins fertiles, ils en ont conçu une amertume bien compréhensible, et ont essayé de trouver une explication mythique à leurs déboires. Ils se sont vus, eux, comme le paisible Abel ; leurs adversaires étant à l'image du méchant et puissant Caïn. Et pour être aussi puissant, Caïn avait dû manigancer afin d'acquérir ses pouvoirs de manière pas très nette. Un pacte avec le diable, en quelque sorte. Il avait mangé le fruit de l'Arbre de la Connaissance du Bien et du Mal. Mais d'ailleurs, il avait été bien puni de ce forfait. Il suffisait pour s'en convaincre de voir ces paysans gratter la terre comme des damnés, des damnés qu'ils étaient, pour en tirer de quoi manger. Les dieux les avaient chassés du paradis où il suffisait de suivre ses troupeaux, où l'on pouvait sans travailler se nourrir de dattes, de figues et autres fruits sauvages disponibles gratis. Les dieux avaient condamné les sédentaires à cette vie de bagnards réduits à se battre contre les cailloux et les épines.

Mais alors, cette fameuse Connaissance du Bien et du Mal, si bénéfique et si maléfique à la fois, en quoi consiste-t-elle ? Eh bien, elle est réellement ce que son nom indique : le fait de pouvoir, comme des dieux, décider de ce qui est bon et qu'on doit conserver et cultiver, et de ce qui est mauvais et qu'il faut combattre et exterminer ; le fait de savoir s'affranchir des lois de la nature.

Depuis ses origines, voici trois millions d'années peut-être avec Lucy, à moins que ce ne soit cinq, sept millions d'années, l'homme était resté un animal, un mammifère parmi d'autres. Haches de pierres, vêtements de peau, parures d'os, peintures sur les parois de grottes, domestication du feu même, tout cela ne le distinguait que fort peu de la nature environnante : chasseur-cueilleur, il ne modifiait pas de manière très sensible son environnement ; il était soumis aux lois de la nature. Encore qu'on se demande aujourd'hui si on ne doit pas lui attribuer un impact plus grand que celui qui lui était reconnu récemment encore. Et si pratiquement tous les animaux peints à Lascaux ou Chauvet ont disparu, les bouleversements climatiques ne sont peut-être pas seuls en cause. Nos ancêtres ont peut-être manqué de discernement dans leurs techniques de chasse, trop efficaces finalement. La méthode de brûlis en particulier, qui consistait à incendier une zone pour repousser le gibier dans un piège, a pu provoquer des hécatombes inutiles et compromettre la reproduction de certaines espèces, les rendant plus sensibles aux transformations climatiques. Comme quoi l'homme moderne n'aurait rien inventé...

Quoi qu'il en soit, au néolithique, voici une dizaine de milliers d'années, tout a changé. L'homme a domestiqué quelques animaux, moutons, chèvres, puis bovins, ânes... De chasseur, il est devenu pasteur. Une partie de la population humaine a commencé progressivement à se sédentariser. Un changement fondamental s'est alors produit. Afin de pouvoir se fixer durablement quelque part, l'homme se devait de modifier profondément son environnement, de manière à accroître la production locale de nourriture, grâce à l'agriculture et à l'élevage. L'accroissement de nourriture a permis en retour l'augmentation de la population *–soyez féconds et multipliez–* jusqu'à ce que la pression démographique sur un territoire donné devienne intolérable et provoque des poussées périodiques de migrations, à la source de la colonisation progressive de la planète entière.

Par le bouleversement du mode de vie, le processus de sédentarisation a permis, dans un mouvement lent au début, puis s'accélérant jusqu'à nos jours, l'évolution des techniques, des savoirs, des arts, des réflexions : dans une maison, même fort rustique, on peut se permettre des activités auparavant impensables lorsqu'on devait se déplacer chaque jour à la suite du gibier ou des troupeaux. Et non seulement cette évolution a été rendue possible, mais elle est devenue nécessaire : il a fallu construire des villes et des machines, et réfléchir pour cela aux problèmes d'architecture, organiser le commerce et mesurer les champs, inventer ainsi l'écriture et les mathématiques ; certains ont pu s'offrir le luxe de se poser des questions que nous qualifions maintenant de métaphysiques ou de philosophiques : D'où venons-nous ? Qu'est-ce que l'homme ? Comment fonctionne le monde ?…

A force de réfléchir au sens de la vie, à ses origines, l'homme a peu à peu forgé le mythe selon lequel il était le nombril du monde, un être à part, élu des dieux, ou de Dieu. Doué d'intelligence, il était l'aboutissement de la création, il lui donnait son sens. Il était chargé de dominer le monde et d'y mettre de l'ordre. La conquête de monde tenait à sa mission de chef, de roi. La communauté vivante était entièrement à son service. A lui d'imposer sa loi, car lui était au-dessus des lois de la nature.

Quelles étaient ces lois de la nature que l'homme voyait appliquer autour de lui, mais dont il n'avait plus à tenir compte, en raison de son intelligence et de sa supériorité, de sa mission et de son statut spécial ? En voici quelques-unes :

Le prédateur tue pour se nourrir, et aussi pour se défendre s'il se sent menacé. Il ne tue pas pour son plaisir, ni pour se débarrasser d'un ennemi. Le lion ne tue pas la gazelle parce qu'il lui en veut, mais parce qu'il a faim. Et s'il n'a pas faim, il la laisse tranquille.

Le prédateur ne s'attaque pas non plus aux herbivores qui ne constituent pas son menu habituel, même s'ils font concurrence à ses proies dans les pâturages. Pourtant, en se débrouillant bien, les lions pourraient exterminer les éléphanteaux et supprimer ainsi en quelques générations les troupeaux d'éléphants qui concurrencent inutilement pour eux les populations de gazelles, de gnous et de zèbres constituant leur nourriture.

Carnivores et herbivores ne se chargent pas de favoriser telle plante immangeable au profit de l'herbe qui engraisse les herbivores, qui eux-mêmes nourrissent les carnivores. Et de même, ils se soucient fort peu des sauterelles qui ravagent parfois les pâturages, et risquent ainsi de les conduire à la famine.

Une espèce ne peut pas proliférer indéfiniment. Elle peut le faire pendant quelque temps, puis la raréfaction des ressources alimentaires, ou les maladies favorisées par une trop forte concentration, se chargent de réguler le niveau de la population.

Tout cela, l'homme sédentaire s'autorise à le faire. Ou plutôt il s'oblige à le faire assidûment, car cela fait partie de son devoir de civilisateur de la nature. Il peut et doit exterminer les loups et les ours qui s'attaquent à ses troupeaux. Il peut et il doit déterminer ce qui est une mauvaise herbe et ce qui est une plante à conserver et à cultiver. Il peut et il doit chercher les molécules qui lui permettront de venir à bout des pucerons, des doryphores et du mildiou. Il sait ce qu'il est bon de faire : il a mangé le fruit.

Les lois de la nature étaient liées aux nécessités de survie de populations nomades de chasseurs-cueilleurs puis de pasteurs. La stabilité permettait de ne pas épuiser les ressources –gibier, pâturages, plantes comestibles– dont la nature seule avait la maîtrise. Les lois de la croissance et de la domination les ont remplacées à partir du moment où de nouvelles perspectives fabuleuses se sont offertes à l'humanité : les moyens de subsistance se partageaient désormais entre la nature et l'homme, et de façon de plus en plus favorable à ce dernier. Tout semblait possible désormais.

Ce point de vue a pris son plein développement dans les sociétés issues des pensées grecque et judéo-chrétienne, fortement marquées par la rationalité, et par la notion d'individu. Dans les sociétés héritières du chamanisme et de l'animisme, les agriculteurs savaient trop bien qu'ils devaient compter avec les forces obscures de la Terre-Mère, et avec les esprits et les génies de la nature. Dans les sociétés orientales, marquées par l'hindouisme ou le bouddhisme, la notion de fusion dans un grand tout prend le pas sur celle d'individu ; l'anthropocentrisme n'y a guère de prise. C'est donc l'occidental qui a été le porteur de très loin le plus convaincu de cet état d'esprit, rejoint maintenant par le plus gros des élites occidentalisées des autres sociétés.

Ayant parfaitement intégré cet anthropocentrisme, l'occidental a considéré qu'il était lui-même au sommet de la hiérarchie humaine. Puisque le critère de domination de l'homme sur l'univers était celui de l'intelligence, ce critère devait jouer également pour classer les hommes entre eux. Ayant marqué sa supériorité technique à partir de la Renaissance, l'Européen pouvait se targuer ipso facto de la supériorité tout court sur les autres peuples, considérés dès lors comme des sauvages, qu'on pouvait sans état d'âme réduire en esclavage, dont on pouvait détruire sans regret les réalisations et les modes de vie, et qu'il convenait au mieux de conduire à ***la*** civilisation, la seule qui vaille, l'universelle, l'européenne. Aujourd'hui, cette conviction s'exprime avec quelques précautions oratoires, politiquement correctes, mais nous en sommes apparemment bien convaincus : demain, le monde sera occidental, car l'Occident détient la voie et la vérité. Car, de même que l'homme est l'accomplissement de la création, la civilisation occidentale est l'accomplissement de l'humain. Et c'est par la croissance que passe le chemin de cette œuvre de civilisation ultime, ce chemin que depuis une cinquantaine d'années on nomme développement. Nous en avons parlé.

Malgré tout, malgré le positivisme qui a présidé à son érection, ce bel édifice se lézarde. Cette phase de croissance où tout semblait possible est désormais révolue. Le défi de conquête et de domination du monde a été gagné, au-delà de l'imaginable, au delà du raisonnable. Il faut maintenant redécouvrir l'humilité. Le mythe de l'homme nombril du monde, s'il n'est pas maintenant tempéré par une dose de sagesse, conduit à l'absurde et à la catastrophe. Ce n'est pas tant que l'homme ait changé, soit devenu plus mauvais ou plus cupide. Non, ce qui a changé, c'est d'une part le nombre des hommes, et d'autre part le fabuleux pouvoir sur lequel peut s'appuyer l'humanité pour dominer la nature et, en l'exploitant à outrance, la détruire. On ne peut ignorer cette nouvelle donne. L'homme, et particulièrement l'occidental, doit achever la révolution copernicienne commencée à la Renaissance. Le modèle d'univers proposé par Copernic a fait scandale à l'époque : la simple idée que la Terre puisse ne pas être au centre du monde était un blasphème contre la dignité de l'Homme créé à l'image de Dieu. Giordano Bruno a été brûlé pour avoir défendu trop tôt, contre les préjugés absurdes pour lui, cette vision qui lui semblait plus juste, celle de la Terre tournant autour du soleil. Pour la même raison, Galilée a dû ensuite manger son chapeau, on le sait. Aujourd'hui, il nous faut admettre que ce n'est pas un blasphème contre l'Homme que d'affirmer que celui-ci ne peut se comporter comme s'il était le centre de l'univers et le but de la création, comme si tout lui était ordonné.

Pour Mark Twain, la durée de l'humanité est à la durée de la vie sur Terre ce que l'épaisseur de la peinture au sommet de la Tour Eiffel est à la Tour elle-même. Pas plus que la Tour Eiffel n'a été construite pour permettre cette couche de peinture, pas plus la Terre n'a été créée pour l'Homme. L'Homme est un élément de la vie. Il y a *sa* place. S'il s'obstine à vouloir toute *la* place, il pourrait bien tout perdre de ce qui lui revient. Si la Tour Eiffel décide de n'être plus que peinture, elle s'écroule.

Savoir que je sais ce que je sais, et que je ne sais pas ce que je ne sais pas, voilà le vrai savoir, disait Thoreau. Plus l'homme avance dans la civilisation, plus il sait ce qu'il sait. Le problème est qu'alors il connaît rarement l'étendue de son ignorance. En raison de cette ignorance, il lui manque alors un doigt d'humilité et de sagesse. Et c'est en toute bonne foi que l'occidental impose ses points de vue et ses manières de faire, en toute inconscience qu'il met en place les conditions de sa perte. Ce n'est qu'en retrouvant le chemin de l'humilité qu'il redeviendra accessible à une certaine sagesse, susceptible d'épargner au monde, et donc de s'épargner à lui-même, beaucoup de désagréments.

LE VINGT-ET-UNIEME SIECLE

Le XXI^{éme} siècle sera spirituel ou ne sera pas.
(Déclaration attribuée à André Malraux)

A cette fameuse phrase, prêtée à Malraux, et objet de tant de commentaires, l'Abbé Pierre renchérit en disant que *le XXI^{éme} siècle sera fraternel ou ne sera pas,* en précisant bien que pour lui, c'est la même chose, car toute religion qui ne serait pas fraternelle ne serait que mensonge. Sans vouloir annexer Malraux ni l'Abbé Pierre, on pourrait dire de ces phrases qu'elles résument une bonne partie de ce qui vient d'être dit ici.

En effet, l'essentiel des pages précédentes consiste en ceci : il est urgent de trouver d'autres moteurs pour la marche du monde que celui de la croissance quantitative, tout au moins au sein des pays riches, car cette croissance mène à une impasse dramatique (quant aux pays pauvres, vers quel chaos peut les entraîner la *seule* croissance quantitative ?). Or, pour trouver d'autres moteurs, il faut faire le deuil de certaines habitudes, aussi rassurantes, aussi confortables soient-elles. Et pour ce faire, la prise de conscience d'un problème ne suffit pas : les risques du tabagisme ont beau être connus, cela n'entraîne pas une désaffection massive pour la cigarette. Et encore s'agit-il là de risques personnels et bien identifiés ; que dire alors de risques que notre comportement global fait courir à l'humanité future, une réalité ressentie bizarrement comme lointaine, irréelle, alors qu'il s'agit en fait de nos petits-enfants ? Sans une motivation positive et personnelle, le renoncement à certains aspects confortables de notre style de vie est vécu comme une amputation. De plus, il faut bien dire que marcher à contre-courant, penser à contre-courant, cela finit par être usant ; il est tentant de baisser les bras, de laisser courir, en profitant sans se poser de question des indéniables avantages que procure la situation. Seulement, cette attitude laisse dans la bouche un goût amer, le goût de la lâcheté et de la trahison. Pour ne pas s'engourdir dans le confort de l'air du temps, pour ne pas dériver de colère en résignation, il est nécessaire de trouver une motivation forte. Et cette motivation ne peut venir que de la conviction que les changements nécessaires peuvent aussi et surtout apporter dans notre vie personnelle et collective des satisfactions égales ou supérieures, en un mot une plus grande plénitude.

"*Un vide étrange s'est creusé au milieu de nous,* écrit Jean-Claude Guillebaud, *un manque qu'il faudra un jour regarder en face. Et rassasier, d'une manière ou d'une autre... Personne ne pourra nous convaincre de substituer une frénésie aussi haletante à la simple et douce raison humaine. A une quête spirituelle minimale. Au partage. A tout le reste. Oui, nous sommes dans l'attente...*"

Oui, nous sommes dans l'attente... Est-ce étonnant ? "*Nous sentons confusément*, reprend Guillebaud, *que la vie des sociétés humaines ne pourra pas -éternellement- se ramener à cette vacuité arithmétique : taux de croissance, bourse en folie, consommation boulimique, course angoissante au résultat, compétitivité, bataille, égoïsme ravageur et obsessionnel (combien ? quel chiffre ? quel résultat).*" Est-il étonnant que ce vide, censé nous tenir lieu d'essentiel, n'arrive pas à nous remplir ?

Est-ce un hasard si les sages de tous temps et de tous lieux insistent autant sur le détachement par rapport aux valeurs matérielles, aux valeurs de prestige et de pouvoir, et mettent en avant d'autres raisons de vivre ? C'est vrai du Bouddha et de Jésus, mais aussi des philosophes grecs. Épicure met en avant le lien très fort entre les progrès de la frugalité et les progrès de la sagesse. Et dans la quête du bonheur qui est son souci, il distingue nettement les désirs naturels et nécessaires, comme le boire, le manger, l'amitié, dont la satisfaction est en mesure d'apporter le bonheur, de ceux qui ne sont pas nécessaires, et souvent pas naturels, comme la recherche de l'argent et du pouvoir, dont la satisfaction est surtout source de déception. Aujourd'hui, le Dalaï-Lama rappelle cette même vérité *: "Si le désir de posséder des biens plus coûteux ne repose que sur une seule posture mentale, "en vouloir toujours plus", alors on finit par atteindre la limite de ce qu'on peut obtenir. On se heurte à la réalité. [...] C'est là le danger inhérent à ce type de désir : il mène tout droit à la convoitise, fondée sur une attente démesurée. A son tour, la convoitise conduit à la frustration. Car [...] l'ironie veut qu'une fois obtenu l'objet de son désir on ne soit toujours pas satisfait. [...] Le seul antidote, c'est le contentement. [...] Comment atteindre le* *contentement intérieur ? Il y a deux méthodes. La première consiste à obtenir tout ce que l'on veut [...] [On] a déjà mis en évidence les inconvénients de cette manière d'aborder l'existence. La seconde, la plus sûre, ce n'est pas d'avoir ce que l'on veut, mais plutôt de vouloir et d'apprécier ce que l'on a".*[8]

De telles réflexions sur les moyens d'accéder au bonheur ne sont pas vraiment en phase avec les critères de l'économie, c'est le moins que l'on puisse dire. Si elles sont parfaitement décalées face à la mentalité start-up, sont-elles pour autant dépassées ou trop exotiques en elles-mêmes ? Tout cet ouvrage tend au contraire à montrer qu'elles sont plus que jamais d'actualité, que leur importance devient cruciale, et ceci pour des raisons techniques, largement développées, de limites des ressources physiques de la Terre. Quant aux implications philosophiques, psychologiques ou religieuses, elles ne peuvent être que très brièvement évoquées ici. Le simple bon sens peut tout de même indiquer que la recherche sans cesse accrue de satisfactions matérielles (thésaurisation/ consommation), mais aussi plus relationnelles (prestige, pouvoir, considération), masque le désarroi, le vide évoqué par Guillebaud, et une panique devant ce vide, une recherche pathétique à la fois de sens et de sécurité. Et on peut comprendre que tant que ce vide ne reçoit pas un début de réponse, nous nous tromperons en courant après des solutions techniques ou matérielles inadaptées. Matthieu Ricard, moine bouddhiste aujourd'hui bien connu, faisait remarquer dans une émission de radio que, tant que nous n'avons pas trouvé en nous-mêmes une certaine acceptation de notre corps et de la fuite du temps, les crèmes antirides resteront de peu d'utilité. Si notre vie nous laisse l'impression d'être vide de sens, nous continuerons à nous tromper d'objet, voulant toujours manger plus sans grossir pour combler ce vide, voulant être riche pour pouvoir paraître, paraître pour faire envie, à défaut de susciter l'estime, l'amitié ou l'amour, susciter l'envie et acquérir le pouvoir pour gagner l'illusion d'être important, être important pour ne pas sombrer dans le néant. La tendance est peut-être de tout temps ; notre époque offre simplement plus d'occasions de se focaliser sur de fausses réponses à ces vraies questions.

---

[8] *L'art du bonheur*, op. cit.

La surconsommation nous rassure. En s'entourant d'objets, en se bardant d'assurances et de garanties à toute épreuve, on cherche à se protéger. Mais tout cela coûte fort cher. Il faut s'épuiser dans le travail et les transports, y investir tout son temps et toute son énergie, accepter les conditions folles de certaines mutations et promotions, au détriment des autres dimensions de la vie, équilibre personnel, vie familiale, santé parfois…

Tout cet ouvrage a tenté de montré l'impasse que représente notre mode de vie pour le monde : on a dit qu'il faudrait cinq ou six planètes pour satisfaire les besoins de l'humanité si ceux-ci étaient calqués sur les nôtres. Il importe que les occidentaux se tournent vers ce qu'on appelle maintenant la simplicité volontaire, c'est-à-dire le renoncement à certains aspects de la surconsommation, dès lors qu'ils nous apparaissent inutiles, voire nuisibles, pour notre équilibre personnel, et en contradiction grave avec nos convictions éthiques.

La recherche de la simplicité volontaire, ou si on préfère, d'une vie sobre, n'a rien à voir avec un parti pris de frustration masochiste. C'est le choix de vivre autrement, de vivre mieux en fait, et plus en harmonie avec ses convictions, en remplaçant la course aux biens matériels par la recherche de valeurs plus satisfaisantes. Les rares familles qui choisissent de vivre sans télévision ne sont pas à plaindre. Aux satisfactions que pourrait leur offrir la lucarne magique, elles en préfèrent d'autres : vie familiale ou sociale, lecture, jeux, activités artistiques, temps libre pour rêver et simplement goûter la vie…

Ce chemin est évidemment en général progressif, et ne va pas de soi tant sont fortes les pressions contraires de la société. C'est un chemin qui demande de dominer ses peurs, peur du vide, peur de manquer, peur de l'avenir, peur aussi de ne pas être conforme aux moules préfabriqués, peur de se démarquer par rapport aux normes en vigueur. C'est le choix de vivre aujourd'hui plutôt que de sacrifier la vie présente à la consommation ou à l'accumulation de valeurs sans valeur, à la construction d'un plan de carrière censé rendre demain enfin satisfaisant, ou au remplissage d'un plan d'épargne-retraite chargé de contrer la peur ne pas avoir assez. Assurer l'avenir. Mais l'avenir est-il un jour assuré ?

La religion vécue sans liberté a pu être l'opium du peuple ; la religion de la consommation et du paraître est sa cocaïne, qui euphorise, mais qui aussi embrume lucidité et bon sens, engourdit la générosité, et dont la recherche quotidienne mange énormément de temps et d'énergie. Si le siècle nouveau ne nous fait pas trouver une spiritualité authentique, c'est-à-dire la conscience qu'un sens profond transcende le matérialisme et donne à la vie sa valeur, le monde restera crispé sur cette quête éperdue et désespérée de consommation et de pouvoir, d'éphémère et de superficiel qui l'enfoncera de plus en plus dans l'absurde et le néant, vers l'affrontement et l'explosion.

S'il est spirituel, sous des formes peut-être à redécouvrir ou à inventer, le siècle nouveau pourra nous offrir la liberté de calmer cette course sans fin et sans espoir. Comment pourra se manifester ce renouvellement ? Peut-être par une certaine renaissance de cette idée de solidarité et de fraternité mise à mal par les crispations individualistes. Peut-être dans une interrogation sur le sens de l'évolution techniciste et économiste de la société. Le professeur Sicard, président du Comité d'éthique, remarque : *"Le drame contemporain, c'est que la science dicte sans cesse ses conclusions et que la réflexion éthique est trop tardive. Comme si l'humanité confiait à la science de la représenter pour le futur."* On a beaucoup vu en effet ce type de mise en jugement : *Dieu face à la Science*, comme si la science pouvait s'ériger en valeur suprême et en juge de la vérité. Idem pour l'économie d'ailleurs. Ce questionnement nécessaire doit être rééquilibré par un autre, symétrique, du genre *: la science face à Dieu, la technique face aux notions de bien et de mal, l'économie au service de quelle humanité...* Nous pourrons alors dépasser la soumission aux prétendues fatalités de l'économie et de la technologie pour reprendre la réflexion sur les conditions d'un épanouissement humain et d'un développement collectif durable et fraternel. Découvrant que quelque chose nous dépasse, nous pourrons participer plus sereinement à l'avancée de l'aventure humaine.

L'utopie communiste et la contre-utopie nazie ont amené les désastres que l'on sait. Il est désormais facile d'ironiser a priori sur toute utopie. Pourtant, la non-utopie absolue qui règne actuellement, consumériste et matérialiste, nous entraîne vers la dépression nerveuse de la société et vers une autre forme de désastre.

A nous d'inventer l'utopie nouvelle capable de redonner au siècle nouveau la possibilité d'être. Oui, nous sommes dans l'attente...

LE MIEL DE LA TERRE

Vous êtes le sel de la terre.
Mais si le sel perd sa saveur,
avec quoi va-t-on le saler ?
Evangile selon saint Matthieu

L'Église catholique a fait de l'an 2000 son jubilé, et cela n'a échappé à personne : j'ai même découvert cette année-là une affiche de la Fédération Anarchiste, affiche qui représentait un curé en soutane avec une tête de Rapetout, brandissant une énorme massue. La légende valait son pesant d'eau bénite : *"Il n'y a pas de quoi jubiler : 2000 ans d'obscurantisme, ça suffit !"* Raccourci historique saisissant. Un tantinet simpliste également... Regardons d'un peu plus près.

La culture de l'Occident, son art bien sûr, architecture, musique, peinture, mais aussi tout son mode de pensée et sa structure sociale, sont très fortement imprégnés de l'apport du christianisme. Depuis l'origine, celui-ci a été un vecteur important des idées d'égalité, de justice, d'attention aux pauvres, de solidarité, de paix. Un vecteur de civilisation. Même les idées des Lumières, que l'Église a pourtant longtemps combattues, lui sont redevables, et peuvent être regardées comme une traduction laïque de valeurs chrétiennes. Et c'est en raison de cette imprégnation chrétienne de notre culture qu'il n'est pas totalement incongru de s'arrêter sur le rôle que joue encore ou que pourrait jouer le christianisme dans les prochaines décennies. Si le XXIème siècle doit être spirituel pour relever valablement les défis qui lui sont posés, on peut penser que le christianisme n'y sera pas totalement étranger en Occident.

Me situant moi-même résolument dans ce contexte chrétien, je ne peux laisser ma foi rester lettre morte face au genre de questions soulevées ici, questions qui touchent aussi bien ma propre vie que la vie du monde. Mais je constate combien il est difficile de creuser ces questions avec des amis chrétiens ; pudeur à toucher au lien très personnel entre vie et foi, ou recul devant les remises en cause qui, pourtant, semblent découler du fondement de notre foi commune ? Il me semble impossible d'éluder indéfiniment les ambiguïtés des Églises chrétiennes face à des choix fondamentaux de société. Il me semble nécessaire de clarifier la manière dont la lecture de l'Évangile me confirme dans mes interrogations, à défaut d'y apporter des réponses toutes faites. Le lecteur qui ne se sent pas concerné par ce chapitre est invité à passer directement au suivant ; malheureusement, le remboursement de ces quelques pages n'a pas été prévu…

Le meilleur et le pire.

Reconnaître l'influence chrétienne dans l'émergence des idées sociales en Occident, ce n'est pas nier la profonde ambiguïté du discours et de la pratique des Églises, et en particulier de l'Église catholique en France, dont les apports positifs ont été mêlés de beaucoup de scories. Au Moyen Âge, l'Église a introduit un peu de retenue dans les luttes sans fin entre seigneurs, en réglementant la guerre ; elle a civilisé quelque peu les mœurs barbares, grâce notamment à la chevalerie. Mais elle a aussi organisé les croisades, et plus tard, elle a béni la colonisation et les guerres. Si elle a été attentive à soulager les plus grandes misères, elle a très peu remis en cause les structures sociales qui conduisaient à cette misère. Autrement dit, si l'Église a été sans conteste active dans le domaine de la charité, pratiquée de manière parfois discutable, elle est le plus souvent restée fort tiède dans celui de la justice, se montrant volontiers conservatrice au plan politique et au plan social. Le cliché de la dame patronnesse n'est pas né de rien, et la collusion du sceptre, du sabre et du goupillon n'a pas été dénoncée à tort.

Pourquoi l'Église a-t-elle autant balancé entre ces deux faces de son action ? Depuis l'empereur Constantin, elle est sortie définitivement, dans l'empire romain, de la clandestinité où l'avaient poussée les persécutions fréquentes des premiers siècles, et s'est prise à goûter aux pouvoirs et aux honneurs. Devenue un rouage essentiel de l'organisation sociale, le seul à fonctionner en certaines périodes troublées, elle a pu peser sur l'évolution du monde, se montrant comme il vient d'être dit vecteur de civilisation, recours contre la misère et parfois modératrice des plus graves injustices du temps. Mais, ayant pris l'habitude de pactiser avec le pouvoir, la richesse et l'ordre établi, devenue elle-même le pouvoir, elle en est venue à persécuter à son tour ceux qu'elle jugeait comme déviants, et à humilier la misère. Devenue gardienne de l'ordre établi, l'Église ne pouvait plus remettre en cause la structure même de la société, la hiérarchie de la puissance et de la fortune. Elle invitait les riches à se montrer bienveillants envers les pauvres, à les secourir en leur distribuant une partie de leurs surplus. Mais si les miséreux étaient appelés à se résigner à leur sort, dans l'espoir d'une compensation dans l'au-delà, et aussi pour respecter un ordre soi-disant voulu par Dieu, les riches étaient pour ainsi dire appelés à se "résigner" à leur sort de riches. Ils devaient rendre grâce à Dieu de sa bonté à leur égard, et remplir leurs devoirs de chrétiens riches : être généreux envers l'Église, le curé, l'école catholique et les pauvres. Pour peu que leur vie privée ne soit pas trop dissolue (mais on pardonne tant à ceux qui ont les moyens...), c'était le paradis assuré.

Cette ambiguïté éclaire l'attitude apparemment paradoxale de l'extrême-droite par rapport à l'Église catholique. Maurras se disait lui-même athée mais catholique ; il respectait l'Église, en laquelle il voyait une alliée, jusqu'à la mise à l'index de l'Action Française par les papes Pie X et Pie XI. Sous Franco, un cardinal affirmait sans ambages qu'un espagnol est catholique ou rien ; c'était admettre que l'Église catholique avait quitté le domaine du religieux pour investir celui de la politique, et quelle politique ! Hitler confondait le christianisme et le judaïsme dans la même haine, muselant la parole de l'un pendant qu'il tentait d'exterminer l'autre ; mais il tenait compte de l'Église catholique, et avait signé très rapidement un concordat avec le très autoritaire Cardinal Pacelli, le futur Pie XII. Et aujourd'hui, si la nébuleuse néo-payenne qui domine une bonne partie de l'extrême-droite voue, elle aussi, une haine farouche au christianisme, "morale de la faiblesse" qu'elle oppose au culte de la force brutale, elle voit d'un bon œil dans l'Église catholique ses tendances réactionnaires, son efficacité dans l'encadrement de la société, son sens de la hiérarchie, le faste de ses cérémonies, son passé de bénisseur d'armée, de justificateur de conquêtes et de guerres, d'organisateur de croisades... Bref, l'extrême-droite athée ou néo-payenne sait apprécier un catholicisme non chrétien.

Depuis les années 60, depuis Jean XXIII et le concile Vatican II, les choses ont évolué à l'intérieur de l'Église catholique. Et le pape Jean-Paul II, pourtant volontiers regardé comme conservateur, voire réactionnaire sur certains sujets, tient sur l'organisation sociale du monde un discours plus engagé que beaucoup d'hommes politiques classés à gauche. S'il a eu l'influence que l'on sait dans l'effondrement du bloc communiste, il a reconnu à maintes reprises qu'il y avait de bonnes choses dans le communisme. Et surtout, il ne manque pas une occasion de souligner ses très grandes réserves face au libéralisme économique et à la mondialisation. En janvier 99 encore, lors de son voyage au Mexique et aux États-Unis, il a eu des mots très forts pour condamner le système économique dominant. Dans la pratique, il faut avouer que les résultats sont beaucoup plus mêlés.

Dans ma jeunesse, je rêvais que Helder Camara serait élu pape, avant de réaliser que ce rêve n'avait aucune chance de se réaliser. Pouvait-on imaginer le petit archevêque brésilien à la tête d'un état, fût-ce un état de quarante-quatre hectares ? Lui qui, réalisant la misère des gens de son diocèse et qui, pour être plus près d'eux, avait préféré vivre dans un modeste appartement plutôt que d'occuper le luxueux palais épiscopal de Recife, aurait bien été capable de quitter définitivement le Vatican pour habiter un quartier populaire de Rome ou d'une autre ville. Mais d'ailleurs, il n'a jamais été nommé cardinal ; cela écartait tout danger... Lui-même constatait, avec un brin d'amertume : *"Quand je donne à manger aux pauvres, on m'appelle un saint. Si je demande pourquoi ils sont pauvres, on m'appelle un communiste."*

L'évangile sucré

Pour le confort de l'âme et la bonne conscience, les catholique ont longtemps disposé d'un atout précieux : l'Évangile n'étant lu qu'en latin, on pouvait se contenter des paraphrases du curé. Ce confort a disparu : aujourd'hui, on peut lire l'Évangile et le comprendre, sauf chez les intégristes qui se gardent soigneusement d'une telle diablerie. Les protestants quant à eux n'ont jamais disposé de ce confort, puisque l'Écriture faisait partie de leur quotidien ; on peut d'autant plus s'étonner des accommodements que certains d'entre eux ont pu trouver entre leur façon de vivre socialement et le message évangélique ; peut-être est-ce de là que provient cette préférence pour l'Ancien Testament, dont le message est beaucoup plus complexe et difficile à décoder, et dans lequel on peut donc plus facilement faire son marché que dans le Nouveau. Pensons aux rigoureux calvinistes d'Afrique du Sud, qui se voyaient hier comme le nouveau peuple de Dieu, le nouvel Israël ; à ce titre, ils devaient protéger leur pureté contre la souillure des autres races, et instaurer pour cela un apartheid sans faille. Pensons aux fondamentalistes américains, qui, eux aussi, se considèrent aujourd'hui comme le peuple choisi, et trouvent dans la bible les justifications à la peine de mort, à la guerre contre les "impies" et à toutes les régressions sociales

Il est possible de lire l'Évangile de plusieurs manières. On peut le lire comme un document du passé, riche d'enseignement sur le temps où il a été écrit, sur le phénomène religieux qu'il a initié, sur la philosophie qu'il inspire et dans laquelle on peut trier comme dans celle de Platon ou d'Épicure. On peut aussi, et c'est mon cas, le lire comme un message d'un autre ordre, que je nomme divin, un message essentiel, que je décide de prendre en compte pour poser les fondements de ma vie. Mais qu'on ait une lecture plutôt extérieure, ou une lecture de foi, on peut voir que le message du Christ touche deux domaines, d'ailleurs très liés : la relation des hommes avec Dieu, et la vie des hommes et leur relation entre eux. Le premier domaine, celui de l'annonce par Jésus d'une proximité de Dieu, gratuite, inouïe, est hors de notre propos. Concernant le deuxième domaine, pas un seul thème sans doute dans ce message ne revient avec une telle constance que celui-ci : l'appel du Christ, qu'on retrouve à chaque page ou presque, non pas à se résigner à la misère, mais bien à *choisir* la pauvreté. Et Jésus de préciser le pourquoi de ce choix de la pauvreté. C'est afin de vivre en cohérence avec les deux commandements qui selon lui résument toute l'Écriture : "*Tu aimeras le Seigneur ton Dieu de tout ton être*", et "*Tu aimeras ton prochain comme toi-même*".

Le choix de la pauvreté évangélique a donc deux objectifs complémentaires. D'abord, elle permet de se rapprocher de Dieu ; ou, si l'on préfère, la richesse éloigne de lui et de l'essentiel de l'homme. Jésus constate qu'il est impossible de servir Dieu et Mammon... Il serait trop long d'établir le catalogue de tous les passages de l'Évangile qui enfoncent ce clou. Deux exemples suffiront. Dans la parabole du semeur, Jésus explique que les épines qui étouffent la Parole de Dieu, ce sont *"les soucis, la richesse et les plaisirs de la vie"* : ceux qui se laissent ainsi accaparer "*n'arrivent pas à maturité*". Relisons plus longuement cette autre parabole : *Il y avait un homme riche dont les terres avaient beaucoup rapporté. Et il se demandait en lui-même : "Que vais-je faire ? Car je n'ai pas où loger ma récolte." Puis il se dit : "Voici ce que je vais faire : je vais abattre mes greniers, j'en construirai de plus grands, j'y serrerai tout mon blé et mes biens, et je dirai à mon âme : mon âme, tu as quantité de biens en réserve pour de nombreuses années ; repose-toi, mange, bois, fais la fête." Mais Dieu lui dit : "Insensé, cette nuit même, on te redemandera ton âme. Et ce que tu auras amassé, qui l'aura ?"* Une parole dont le caractère subversif n'a pas pris une ride.

L'autre objectif est l'ouverture aux autres, en particulier aux plus démunis, et le partage. Et là, Jésus n'invite pas gentiment à partager un peu de son superflu. Il y va fort, comme à son habitude : "*vends tous tes biens et donne-les aux pauvres*". C'est pourquoi le Père Lafont, le "curé blanc de Soweto" pouvait dire voici quelques années sur France-Inter, à l'occasion de la sortie de son livre *Le Jubilé en Actes*[9] : *"On ne peut pas être plus radical que l'Évangile. Le cœur de l'Évangile, c'est de croire que nous ne sommes pas propriétaire de ce que nous avons. Adhérer au Christ, c'est trouver une nouvelle attitude par rapport à ses propres biens : ils ne sont pas que pour nous ; ils sont pour que personne sur cette Terre ne manque du nécessaire pour vivre dignement. Tout ce que je ne partage pas, tout ce que je ne donne pas, tout ce que je thésaurise pendant que des millions n'ont même pas de quoi vivre, finalement, je le leur vole."* Et le journaliste de répondre : *"C'est dur à entendre !"*

Effectivement. Pourtant, combien de fois cette demande est-elle répétée dans l'enseignement du Christ ? Face à cette insistance, Helder Camara confiait : *"Dans mon enfance, j'étais arrivé à penser que le Christ avait peut-être exagéré lorsqu'il avait parlé des dangers de la richesse. Mais aujourd'hui, je sais qu'il est très difficile d'être riche et de conserver une sensibilité humaine. L'argent finit par recouvrir les*

---

[9] Editions de l'Atelier.

yeux de dangereuses écailles". Sans référence religieuse, Bernard Tapie fait la même constatation : on ne peut guère se préoccuper véritablement d'autrui lorsqu'on est préoccupé par la recherche des biens matériels et du prestige. A un journaliste de l'Événement, qui l'interrogeait pendant l'hiver 97-98 sur les erreurs qu'il avait commises, il répondait : *"Avoir des passions contradictoires. On ne peut pas en même temps se passionner pour les banlieues et avoir très envie d'acheter le fauteuil qui a servi au couronnement de Louis XVI. Si t'as envie de naviguer à bord du Phocéa, tu fais pas les banlieues, t'oublies tout çà."*

Deux objectifs, donc, et surtout une raison qui semblerait aller de soi : pour celui qui vit en présence de Dieu, et qui jouit de conditions matérielles correctes, la recherche de plus de consommation, le souci sans fin du chic et du bon goût, la recherche de plus de sécurité par accumulation, la recherche de plus de pouvoir et de prestige devraient sembler dérisoires *: "là où est ton trésor, là aussi sera ton cœur."* L'avancée vers la simplicité volontaire devrait être une évidence.

Oh bien sûr, il est possible de se rassurer en remarquant que l'appel cité plus haut, "*vends tous tes biens*", est précédé de *"si tu veux être parfait"*. Or personne n'est parfait. En bonne humilité chrétienne, ce serait même de l'orgueil de vouloir être parfait... Et puis, le détachement des biens de ce monde, c'est un idéal, et comme tout idéal, on ne peut que s'en approcher, tout doucement... Et puis encore, Jésus est si bon, il connaît notre faiblesse, il sait que nous ne sommes pas des saints, pas des héros... Bref, Jésus a dit si peu de choses au fond, on ne va tout de même pas le prendre au sérieux. Il est tellement gentil, mais tellement provocateur. Quand il dit "mille", on peut entendre "dix", c'est sa manière de parler... Et encore, si j'étais seul ! Mais j'ai des enfants. Je ne peux tout de même pas priver ma fille du scooter dont elle a tellement envie, ni mon fils de la playstation 2 (ou 3 ou 4, où en est-on ?). J'ai des responsabilités, moi ! En fin de compte, de commentaire en paraphrase, on en arrive à cette morale chrétienne bien douce, bien tiède, bien douillette, bien gentille, bien pensante, bien rassurante, bien calculée. Le bon catholique a pu se croire autorisé à "mériter son paradis" grâce à une vie chrétienne minimale. Or, l'Évangile, c'est bien, mais le culte de Mammon, c'est tout de même plus consistant, plus réaliste, plus responsable. L'Église catholique a longtemps développé une forte tradition de "justification par les œuvres", facilement traduite comme un catalogue de commandements attribués à Dieu ou venant de l'Église, empilement d'obligations et d'interdits à respecter pour avoir des droits sur Dieu, et le droit au paradis. C'est contre cette attitude de boutiquier que Luther a déjà voulu réagir voici près de cinq siècles en rappelant après Saint Paul que la vie éternelle n'est pas une histoire de calculs. Il faut inverser l'ordre des choses. Ce n'est pas par devoir que nous nous préoccupons de nos amis, remarquait Jean-Jacques Rousseau, c'est par plaisir. De même, ce n'est pas *pour* mériter une récompense que nous devons suivre l'appel du Christ, mais *parce que* nous croyons en lui, *parce que* nous lui faisons confiance, que tout naturellement nous nous attachons à ses pas et y trouvons notre essentiel. Tout naturellement en théorie. Pratiquement, c'est une autre affaire, bien entendu, et c'est bien pour cela que nous avons besoin de nous épauler et de nous interpeller mutuellement.

Nous écouterons benoîtement des passages tels que celui-ci, dans l'évangile de Luc : *"Ne vous inquiétez pas pour votre vie de ce que vous mangerez, ni pour votre corps de quoi vous le vêtirez. La vie n'est-elle pas plus que la nourriture, et le corps plus que le vêtement ? Tout cela, les païens le recherchent sans répit. Cherchez le royaume et la justice de Dieu."* Et nous répondrons amen, docilement, comme si ces paroles allaient de soi, avant d'aller vaquer à nos occupations : il faut vérifier les cours de la bourse, et passer à la banque pour l'épargne-retraite ; ne pas oublier les réservations pour le salon de l'auto ; se creuser la tête afin de trouver un cadeau de Noël pour celui qui a déjà tout et plus que tout.

Qu'y a-t-il d'étonnant, qu'y a-t-il de scandaleux dans le décalage entre la vie réelle des chrétiens et l'appel de Jésus dans l'Évangile ? Rien bien sûr. Que l'on rencontre le Christ comme une fulgurance impérieuse, ou que l'on chemine cahin-caha avec lui dans une relation plus ou moins distendue et laborieuse, cela ne bouleverse pas nécessairement, de manière automatique ou magique, les pesanteurs nées de l'histoire de chacun. Je peux adhérer à son appel, y voir la source de la vérité et du sens de ma vie, et constater mon incapacité à répondre aujourd'hui à cet appel. Je peux avoir envie de croire à cette annonce d'une proximité inouïe de Dieu, et cependant vivre ma vie comme une absence. Je peux entendre l'appel à l'amour universel, et buter sur mes mesquineries, mes peurs et mon narcissisme. Je peux dans la foi adhérer à l'appel du Christ au détachement par rapport aux valeurs dominantes, celles du pouvoir, du prestige, de la course à l'argent et à la consommation, et néanmoins resté ligoté par ces substituts de vie.

Dans *Le Souci des Pauvres,* Albert Jacquard souligne cette contradiction qui lui apparaît lorsqu'il regarde la vie de François d'Assise : il est attiré par la folie de François, mais dans chacun des choix de sa vie, il agit comme son drapier de père, Pierre Bernardonne. Qui ne connaît de telles contradictions ? Déjà en son temps, Saint Paul parlait du mal qu'il ne voulait pas faire et qu'il faisait, du bien qu'il voulait faire et qu'il ne faisait pas.

Non, rien de scandaleux, rien d'exceptionnel, rien de nouveau dans ces contradictions, qui sont le lot de la vie. Qui n'en connaît de telles ? Le scandale se situe dans l'apparente satisfaction vis à vis de ce manque de cohérence : je vis en contradiction avec ce que j'affirme, mais c'est confortable, et je n'ai pas envie de remettre en cause ce confort intérieur. J'ai besoin de cette course folle au pouvoir et à la consommation, et j'entends bien que ça dure. Plus que cela même, je ne semble plus voir ce décalage, et les paroles du Christ semblent glisser sur moi comme de l'eau sur le dos d'un canard. Si nous nous réunissons entre chrétiens, que les sujets qui fâchent ne soient jamais abordés. Oh, s'il se trouve malgré tout un gêneur pour mettre les pieds dans le plat, personne ne le jettera dehors ; mais entre gens si bien élevés, dans une ambiance aussi feutrée, un silence gêné, des propos lénifiants sauront faire comprendre à l'importun qu'il perd son temps. Ce n'est pas seulement au sens courant du terme que la satisfaction chrétienne est scandaleuse, mais aussi dans son sens religieux et étymologique : le scandale, c'est le piège, c'est la pierre qui fait obstacle sur le chemin, qui provoque la chute ; c'est dans ce sens que Jésus en parle (*Malheur à celui qui scandalise !*). Je puis témoigner que ce contentement chrétien ébranle ma foi : si nous, les chrétiens, nous contentons de si peu, que peut-on attendre de nous, à part des mots ? A quoi rime notre foi ?

On sait qu'à Noël, chacun se doit de faire assidûment ses dévotions à la Déesse de la Consommation ; mais nous, chrétiens, nous nous offrons une heure de ce petit plus irremplaçable, ce petit goût inimitable de nostalgie et de religiosité, cet attendrissement devant le divin enfant rejeté par la méchante société (ah, si nous avions été là, comme nous l'aurions accueilli gentiment !), un bébé si mignon dans la paille, et dont le souvenir à lui seul enrichira la saveur du foie gras, et nimbera de magie l'entassement délirant de cadeaux...

Ils ne savent pas ce qu'ils perdent, ceux qui sont privés de la foi chrétienne, et ignorent tout des profondeurs spirituelles des chocolats de l'Avent et de la fièvre consumériste de Noël, ceux qui méconnaissent la mystique nichée dans la galette des rois, les crêpes de la Chandeleur, les œufs et le gigot d'agneau de Pâques. Que serait la gastronomie sans le catholicisme ? Les chambres de commerce sont bien ingrates. L'Église pourrait légitimement se faire sponsoriser par les marques de magnétoscopes, en mettant au besoin dans la balance la menace d'une suppression des communions solennelles. Les aubes de communiants marquées fujifilm ou sony, ce serait décoiffant. Seul, le carême est resté jusqu'à présent trop inexploité, allez savoir pourquoi. Pourtant, le créneau serait porteur, comme période de lancement pour produits amincissants et autres coupe-faim ; les mannequins anorexiques feraient un tabac : le carême facile avec fitness.

La société s'empare de tout ce qui peut faire vendre. Soit. Apparemment, cette situation satisfait la plupart des chrétiens, qui semblent participer sans état d'âme au mouvement. Pourtant, si la foi au Christ devait se limiter durablement à répandre sur la vie une vague odeur d'encens, comme on répand une pincée de cannelle sur la tarte aux pommes, elle tendrait à se révéler creuse et illusoire. Que faire alors, sinon s'en aller discrètement, sur la pointe des pieds, pour ne déranger personne ? C'est triste car assurément, on ne peut être chrétien tout seul. Mais de quel Évangile parle-t-on ensemble ?

Les paroles de Jésus sont-elles donc absurdes ? Qu'elles soient dures à entendre, et encore plus à vivre, c'est une chose. Faut-il pour autant, sous un air dévot, les considérer de fait comme des billevesées ? Si c'est le cas, arrêtons de nous payer de mots en proclamant l'Évangile. Sinon, entraidons-nous à les prendre au sérieux en nous interpellant à ce sujet. On en est loin. L'appel global de l'Église aux chrétiens sur l'attitude face à la richesse, au prestige, à la puissance, reste d'une timidité affligeante ; il ne peut donc être d'un grand secours.

C'est d'ailleurs curieux. En effet, sur un tout autre sujet, l'Église catholique demande avec insistance, avec ténacité, un comportement jugé par beaucoup comme héroïque. Il s'agit bien sûr de tout ce qui touche à la morale sexuelle. Sur ce sujet, le discours officiel ne met guère en avant la compréhension envers la faiblesse humaine.

Une hiérarchie paradoxale s'est donc installée depuis longtemps dans l'Église entre des aspects de la vie qui dans l'Évangile se situent selon une hiérarchie totalement opposée. L'Église en fait des tonnes sur la morale sexuelle, sujet pratiquement absent de l'enseignement du Christ. Sa parole est en revanche très timorée sur les appels pourtant constamment renouvelés par Jésus à une dissidence active par rapport aux valeurs du monde et au recentrage de notre vie sur Dieu et sur le partage. Le moins que l'on puisse dire, c'est que les chrétiens ne se montrent pas plus empressés que la moyenne dans une recherche active de la simplicité volontaire.

"Vous êtes le sel de la terre", dit Jésus à ceux qui veulent le suivre, *"vous êtes la lumière du monde".* Et si le sel s'affadit ? Oh, le sel chrétien ne disparaît pas ; mais sa tendance naturelle semble être de se transformer en sucre, ou en miel. Les chrétiens seraient donc le miel de la terre, comme l'écrivait Bernanos ? Il faudrait alors chercher ailleurs le sel de la terre et la lumière du monde.

Nous autres chrétiens nous réclamons du Christ, mais dans la pratique, nous avons troqué Jésus contre Confucius, adoptant son chemin du "juste milieu". Surtout éviter les excès, se méfier des extrêmes, garder soigneusement les équilibres. Les chrétiens sont des centristes, des gens prudents, raisonnés, réfléchis. Qu'ont-ils encore à dire au monde ? Le Christ était scandale pour les juifs, folie pour les grecs, selon Saint Paul. Comment peut-on en faire le maître d'une philosophie du juste milieu ?

Qu'est-ce que la foi ? La conclusion logique, après mûre réflexion, qu'il faut bien un horloger pour l'horloge de l'univers ? La certitude de l'existence d'un dieu barbu isolé sur son nuage, ou d'une entité intelligente diffuse à quinze milliards d'années-lumière ? Cela me fait une belle jambe. Le degré zéro de la foi. Mais d'une certaine manière, c'est ma manière de croire au jour le jour. A ce niveau, le doute n'est pas nécessaire.

Mais s'il s'agit de croire en une présence attentive, aimante et agissante dans le monde et en moi, dans le respect de ma liberté, alors là, c'est autre chose. Ce n'est plus seulement une opinion, ni même une conviction, mais une fidélité toujours remise en cause. Et c'est là que, tout "croyant" que je suis, je suis rejoint par les mêmes tiraillements qu'Albert Jacquard, entre l'effrayante liberté de François et les sécurités du drapier. Et quand Jésus intervient en disant : *vends tous tes biens, donne-les aux pauvres, puis viens et suis-moi,* je ne puis l'ignorer. Comment suivre cet appel, c'est autre chose, nous l'avons dit.

Mon comportement devant la foi est comparable à celui que je peux avoir devant les convictions exprimées ici face à l'évolution du monde. Au milieu de mes doutes, je reste convaincu de la réalité de l'amour de Dieu, qu'en lui se trouve la vérité et le sens de ma vie, mais au jour le jour, j'agis comme si tout le reste passait bien avant. De même, je suis convaincu que la course à la consommation est non seulement un leurre dangereux et un ersatz de vie qui tente péniblement de combler une insatisfaction d'un autre ordre, mais qu'elle est aussi un non-sens face à l'avenir du monde ; et pourtant, chaque jour, j'agis comme si la vraie vie était celle-là, comme si elle allait continuer ainsi à offrir des réponses de manière définitive.

Pour le croyant non chrétien, la nature de la confiance est certainement différente. Pour l'agnostique encore plus. Il n'en reste pas moins vrai que le seul désir de se libérer d'attaches trop pesantes et inutiles, ainsi qu'une réflexion sur l'avenir de l'humanité peuvent amener aussi sûrement à des choix du même ordre, vers une vie volontairement plus simple, une limitation radicale de besoins matériels aliénants, au profit d'un essentiel d'un autre ordre.

Épicure limitait à quelques-unes les conditions du bonheur. Aujourd'hui, la liste de l'indispensable est tellement interminable que tout homme peut aspirer à y effectuer des coupes sombres, à se désencombrer de besoins inutiles pour se rapprocher de cet essentiel, qu'il soit animé par sa réflexion seule sur le sens du bien ou qu'il soit animé aussi par sa foi.

Une Église plus humaine

Il est vrai que, pour participer volontiers à cette démarche, l'Église catholique traîne un trop lourd passé, sur lequel nombre de ses fidèles préfèrent tourner la page. Pendant des siècles en effet, l'accent a été mis sur les notions de péché, d'enfer, d'interdits, de souffrance, de mortification ; bref, il fallait avant tout "porter sa croix". La Parole d'amour avait été confisquée par une religion étriquée, religion de l'ordre, de la peur, du soupçon, parfois de la méchanceté et de la bêtise, religion dénaturée en une fonction sociale le plus souvent oppressive.

En ouvrant les fenêtres de l'Église au début des années 60, le Concile Vatican II a permis de respirer enfin un grand coup, et de se débarrasser d'habitudes et d'obligations morbides contraires à l'esprit de l'Évangile. Jésus se faisait traiter par ses adversaires, qui en rajoutaient dans la mauvaise foi, de glouton et d'ivrogne. C'est dire s'il aimait la vie. Et il a libéré ses disciples de l'absolu des rites : *"le shabbat est fait pour l'homme, et non l'homme pour le shabbat"*, en particulier des rites alimentaires : *"ce n'est pas ce qui rentre dans l'homme, la nourriture, qui rend l'homme impur, mais bien ce qui sort du cœur de l'homme, ses pensées de haine"*. Après des siècles de glaciation, pendant lesquels le message du Christ avait été dénaturé par le rétablissement de la dictature des rites, des obligations et des interdits, il était capital de revenir à l'essentiel de ce message de liberté et d'amour.

Seulement, dans ce genre d'évolution, le risque est grand d'en arriver à jeter le bébé avec l'eau du bain. Or, s'il aimait la vie, Jésus pouvait également passer des jours et des nuits dans le jeûne et la prière.

L'Église est devenue plus humaine à tous points de vue. Plus humaine, c'est-à-dire moins inhumaine, moins rigoriste. Il est à craindre qu'à vouloir trop bien se couler dans les valeurs ambiantes, elle en oublie, ou s'interdise, de tirer les chrétiens vers le haut ; qu'à tant se soucier d'être insérée dans le monde, elle oublie que ses repères ne sont pas nécessairement ceux du monde.

Les fous de Dieu

Bien sûr, l'Histoire de l'Église, des origines à nos jours, est remplie des grandes figures de ceux qui ont choisi de prendre au sérieux l'appel pressant du Christ, et ont tout laissé pour le suivre, depuis les apôtres et les Pères du désert jusqu'à l'Abbé Pierre, Helder Camara et Sœur Emmanuelle, en passant par tant d'autres, Odile, Bernard de Clairvaux, Élisabeth d'Autriche, Vincent de Paul et bien sûr le Poverello d'Assise. Ces extrémistes du Christ, entrés en dissidence par rapport aux valeurs dominantes de leur temps, pouvoir, argent, prestige, n'ont pas souvent été accueillis à bras ouverts par les dignitaires de l'Église. François d'Assise s'est usé dans des tensions avec le pape et les cardinaux, qui toléraient difficilement sa règle de pauvreté et faisaient tout pour l'édulcorer et la faire rentrer dans la norme ; sa radicalité dérangeait vraiment trop dans le conformisme ambiant ; il malmenait de manière insupportable les convenances du christianisme établi. Il en est de même aujourd'hui, où l'Église ne semble guère pressée d'appeler les chrétiens "ordinaires" à "*vivre dans le monde sans être du monde",* conformément à l'appel explicite du Christ. Cet appel ne consiste aucunement à recommander aux pauvres la résignation en leur promettant les consolations du paradis. Il s'agit plutôt d'appeler chacun à lutter contre la misère qui est une insulte à l'humanité. Il s'agit aussi d'appeler à un mode de vie compatible avec l'appel pressant de l'Évangile, et compatible avec les défis du temps, avec les exigences incontournables de l'avenir du monde : il s'agit de s'orienter vers la simplicité volontaire.

Tout au long de l'histoire, les fous de Dieu qui ont choisi de vivre radicalement l'appel du Christ se sont partagés en deux groupes. Les premiers ont choisi la vie monastique, fondant au besoin leur ordre s'ils n'en trouvaient pas de conformes à leur exigence intérieure, ou rénovant un ordre plus ancien qui s'étiolait. Les autres, désireux de vivre dans le monde, mais avec des valeurs autres que celles du monde, ont fondé des communautés de "parfaits", de "saints", vaudois et autres cathares, vite rejetés et pourchassés comme hérétiques par l'Église catholique et par l'État, et poussés d'ailleurs vers un extrémisme sectaire par ce rejet. Dans le monde protestant, moins monolithique, des églises minoritaires ont été parfois mieux tolérées, et ont pu perdurer, conservant un mode de vie plus ou moins fidèle à l'intuition de départ. Aux États-Unis, les quakers par exemple ont été fers de lance dans la lutte effective contre l'esclavage, alors que les églises plus établies se satisfaisaient d'une attitude parfaitement conservatrice ; les amishes ont édifié en Pennsylvanie une société étonnante, discutable sans doute, mais riche en tous cas d'une grande fidélité à ses valeurs fondatrices.

Le sel de la Terre

Aujourd'hui encore, des hommes et des femmes ressentent ce désir de vivre autrement, de prendre au sérieux l'appel du Christ à être *sel de la terre* et *lumière du monde*, sans prétention, mais conscients que la parole du Christ, loin d'être une parole creuse, est un appel vivant, un chemin de vie, un signe d'espérance, et une ardente nécessité pour le monde. On peut vivre de beaucoup de façons les multiples facettes de l'Évangile, et des chrétiens vivent l'amour de Dieu et l'amour des hommes de manières diverses et admirables. En insistant lourdement sur cette facette particulière de la pauvreté évangélique, je veux seulement souligner l'indigence de l'appel et du soutien que peuvent trouver dans l'Église ceux qui seraient disposés à aller de l'avant dans la recherche difficile de la simplicité volontaire, d'un mode de vie en rupture avec les critères dominants dans la société, un mode de vie disanrt un peu qu'une autre voie est possible, une voie de bonheur éloignée des sentiers battus qui conduisent à des impasses dramatiques. Et en parlant d'Église dans tout ce chapitre, il est question à la fois de la hiérarchie qui pourrait donner beaucoup plus impulsion et encouragements, et de l'ensemble des chrétiens, qui devraient oser s'interpeller mutuellement sur leur manière de vivre l'Évangile.

Comment expliquer la prolifération des sectes au tournant de ce siècle ? Des explications diverses ont été avancées : désarroi spirituel ou affectif, perte de repères, besoin de certitudes, de merveilleux ou de maître à penser, crédulité et rejet d'un rationalisme desséché, fragilités multiples... Certes. Mais à côté de toutes ces raisons et de bien d'autres sans doute, on ne peut pas se permettre de négliger le besoin de se donner de manière exigeante à quelque chose qui en vaille la peine, et l'absence, ressentie par certains de ceux qui portent ce besoin, d'un appel et d'un soutien à l'intérieur des églises établies pour vivre cette radicalité. Bien sûr, on peut toujours fonder le mouvement pour cela. Mais tout le monde n'a pas la carrure ou la personnalité pour le faire : n'est pas François d'Assise qui veut. Et ce n'est certes pas évident d'inventer une façon nouvelle de vivre en couple, en famille, une façon de vivre qui puisse être une alternative à la société de consommation et de compétition.

Alors, que faire ? Face à une insatisfaction existentielle de cet ordre, il peut être tentant de se raccrocher à un gourou plus ou moins loufoque et tyrannique, à un messie cosmoplanétaire qui offre de belles certitudes et une belle exigence de vie, une exigence dont le caractère dévoyé n'est pas toujours perceptible d'emblée.

Les Églises chrétiennes seront toujours perdantes face aux sectes si elles croient ratisser plus large en taisant l'appel véritable du Christ ; si elles croient devenir plus attirantes en gommant du message du Christ ce qui semble devoir fâcher. Elles feront au contraire avancer la cause de l'Évangile en favorisant l'éclosion en leur sein de noyaux vivants et exigeants, capables d'ensemencer le monde et de montrer que vivre en Dieu ou vivre sans Dieu, cela ne joue pas seulement sur les marges de la vie.

Longtemps majoritaires, associées au pouvoir en place, reconnues comme partenaires incontournables par tous les acteurs de la société, faisant partie du paysage, les Églises chrétiennes pouvaient se permettre cette tiédeur et ces compromissions qui vont de pair avec le statut sociologique d'une religion de masse ou d'une religion d'état : le poids gigantesque qu'elle représentaient faisait à lui seul avancer la société, dans le bon sens parfois et parfois dans le mauvais sens ; ou alors, il l'immobilisait au contraire.

Aujourd'hui, les Églises sont devenues extrêmement minoritaires en Europe. Elles pourraient devenir rapidement groupusculaires. Si les quelques chrétiens restant se cantonnent dans le cultuel et le culturel, ils n'auront plus rien à dire, et c'est déjà un peu le cas. Ils pourraient rapidement devenir aussi folkloriques que les Hare Krishna ou que les Adorateurs du Loup ; s'ils se spécialisent dans l'humanitaire, ils pourraient constituer d'autres armées du salut, ce qui est certainement sympathique et utile, mais apporte tout de même une réponse limitée à l'appel du Christ. Les Églises d'Europe donnent l'image d'une lente agonie sous sédatif, une belle mort, tranquille, presque paisible, à peine inquiète. Il arrive assez souvent aux assemblées d'évêques d'avoir une parole forte, mais il semble que tout le monde s'en fiche désormais. Cette parole en tous cas n'est guère relayée en actes, de manière visible, par des catholiques occupés à faire tourner la boutique. Entre chrétiens se reconnaissant comme tels, la conversation vient assez facilement sur les engagements dans telle ou telle activité paroissiale, ou ecclésiale. Elle touche beaucoup plus rarement la manière de répondre aux appels évangéliques, sauf dans certains mouvements spirituels où on aborde librement la dimension verticale, celle de la relation avec Dieu, ou la dimension horizontale, mais limitée aux relations interpersonnelles. Quant aux questions telles que celles qui sont abordées ici, qui touchent aux liens entre les appels évangéliques et la manière de les confronter au monde, c'est le plus souvent le black-out. Trop subversif ? Relents de soufre de la politique ? Cela limite dramatiquement la possibilité d'une parole prophétique au vrai sens du terme, c'est-à-dire parole de Dieu pour le monde.

N'est-ce pas de cette tranquille mort de vieillesse de l'église catholique d'Occident que parlait en mai 2002, l'évêque de Saint-Claude : *"Pourvu que les catholiques ne s'enferment pas dans les sacristies et ne s'épuisent pas dans les structures d'Église. Ils ont fort à faire pour répondre à tous les appels de notre société." ?*

Aux USA, c'est tout autre chose. Le pays reste très religieux, mais les églises protestantes fondamentalistes tendent à se transformer en lobbies politiques réactionnaires, en groupes talibanisés, plus soucieux de faire élire les candidats républicains les plus extrêmes, de soutenir les croisades de Bush contre l'Empire du Mal, de veiller au maintien de la peine de mort ou d'imposer le récit biblique de la création comme une référence scientifique, que d'accepter les interrogations de l'Évangile. D'autres églises ou mouvements chrétiens, au contraire, sont très actifs pour faire évoluer la société vers plus de justice ; on trouve par exemple beaucoup de chrétiens à la tête des mouvements activistes qui interpellent l'opinion, avec un certain succès, sur les conditions honteuses dans lesquelles sont fabriqués en Asie ou en Amérique latine les vêtements, les chaussures et les jouets commercialisés sous les marques à la mode, Nike, Disney, Gap ou KL Gifford.

Qu'en est-il dans les pays du tiers-monde ? En Amérique latine, l'Église est bien vivante, et véritable ferment dans de nombreux pays pour une société plus juste et plus humaine. En Afrique également, on dit les Églises chrétiennes dynamiques ; la tragédie du Rwanda, pays parmi les plus anciennement christianisés du continent, laisse pourtant planer un doute sur la profondeur de l'imprégnation évangélique réelle… Mais il est vrai que dans notre vieille Europe chrétienne, nous avons eu également notre compte de guerres et de cruautés…

Il serait dramatique que les églises chrétiennes poursuivent leur déclin en Occident. En effet, si pour "être", le vingt-et-unième siècle doit être spirituel, ce ne se fera pas sans une participation de l'Occident à ce mouvement. Et comment l'Occident pourrait-il trouver ou retrouver le chemin d'une spiritualité sans que ce chemin passe, au moins en partie, par le christianisme qui a marqué aussi profondément son histoire. Les chrétiens d'aujourd'hui portent une lourde responsabilité face à l'avenir du monde.

A quoi cela sert-il d'être chrétien ? Question saugrenue peut-être. On est chrétien par adhésion à la personne du Christ, et non pas dans un but quelconque. Sans doute, mais la question a tout de même son sens, en raison de cette phrase : *vous êtes le sel de la Terre.* Aujourd'hui, malgré la disparition rapide de l'imprégnation chrétienne, ce qu'on appelle souvent les valeurs chrétiennes sont encore largement partagées par la société, et c'est tant mieux. Elles ont déteint sur les valeurs communes, se sont laïcisées. Si les chrétiens ont été pour beaucoup dans l'émergence des notions de justice, d'égalité entre les hommes, de solidarité, d'universalité, ils ne peuvent évidemment plus les revendiquer comme leurs, d'autant plus que l'attitude chrétienne dans la mise en œuvre de ces idées a souvent été ambiguë et que bien d'autres courants de pensée y ont contribué aussi activement qu'eux.

Dans le jeu subtil de concurrence et d'émulation, on est arrivé à un consensus assez large sur le sujet. Tout cet ouvrage tend à montrer que le travail est pourtant loin d'être fini. L'avenir du monde dépend des choix cruciaux qui seront posés. Si le petit reste de chrétiens sait, avec d'autres courants de pensée, éclairer ces choix, montrer la voie à l'émergence d'une manière de vivre véritablement différente, il sera de manière précieuse sel de la Terre. Un rendez-vous à ne pas manquer.

Les chrétiens n'ont ni le monopole du cœur ni celui de l'intelligence ou de la clairvoyance. Pour les évolutions à venir, on peut porter sur la société un regard humaniste ; on peut aussi ajouter à ce regard un éclairage spirituel et arriver aux mêmes conclusions, aux mêmes choix. Le monde est en attente.

TRENTE ANNEES POUR RIEN ?

Et chacun est rentré chez son automobile.
Claude Nougaro

Dans les premières pages de ce livre, j'écrivais que les idées développées ici ne sont pas inédites. Au moment de le clore, j'en ai la confirmation en feuilletant un ouvrage publié en 1975 par Michel Albert et Jean Ferniot, *Les Vaches Maigres,* dont les premiers chapitres contiennent déjà une bonne partie de ce qui est dit ici. Après le rapport du Club de Rome, après le premier choc pétrolier, une page semblait tournée définitivement. La prise de conscience était bien en marche, un revirement complet de la pensée dominante avait commencé, comme l'attestent les déclarations des penseurs et des décideurs les plus variés de l'époque. Quelques phrases de Jacques Attali ont été placées plus haut. Pour le ministre français de l'Économie, Valéry Giscard d'Estaing, *"la montée culturelle de notre société prendra le relais de la croissance économique"*. Sicco Mansholt, président de la Commission Européenne, vit dans ces années 72-73 une conversion totale et courageuse : *"Pour nous, dans le monde industrialisé, diminuer le niveau matériel de notre vie devient une nécessité. Ce qui ne signifie pas une croissance zéro, mais une croissance négative. La croissance n'est qu'un objectif politique immédiat servant les intérêts des minorités dominantes."* On pourrait multiplier les citations montrant que le monde désormais ne tournerait plus comme avant ; on avait bien compris, il était vital et urgent de redresser la barre, de faire cesser le pillage et le gaspillage des ressources, de jeter au panier les illusions du tout-PIB et du tout-croissance.

Las ! Trente ans sont passés. Pour l'essentiel, rien n'a changé. Cependant, l'état d'esprit n'est plus le même. Le cœur n'y est plus vraiment. Un semblant de mauvaise conscience mine désormais le moral des troupes. Les discours ont tous été repeints en vert, et, la main sur le cœur, c'est à qui se proclamera le plus sensible à l'environnement. Les bonnes intentions sont nettes : sur le long terme, on fera désormais dans le "durable". Quant au court terme et aux pratiques, c'est autre chose : la croissance règne toujours au sommet de l'Olympe. Bref, la schizophrénie domine. Confusément, beaucoup admettent que l'évolution actuelle confine à l'absurde et que son prolongement est inquiétant. Dans le même temps, ceux-là même qui en conviennent se sentent souvent impuissants devant une évolution apparemment aussi inéluctable que l'avancée d'un rouleau compresseur. Les plus combatifs se mobilisent pour sauver les baleines et les bonobos ; d'autres, parfois les mêmes, se disent que le combat si nécessaire sur les symptômes reste très insuffisant et ne remplacera jamais le changement tellement plus nécessaire encore de notre style de vie, plus nécessaire car touchant aux racines même des problèmes. Cependant, même ceux qui peuvent accepter l'idée de ce changement sont souvent déroutés et se demandent que faire, au-delà de décisions symboliques. Le temps des hippies est fini, les éleveurs de chèvres ont pour la plupart vendu leur troupeau et n'alimentent plus que le disque dur de leur ordinateur portable. D'autres pourtant essaient de tracer leur chemin vers la simplicité volontaire et vers une "décroissance soutenable", recherchant des solutions nouvelles, qui ne demandent qu'à être inventées. Malmenée dans ce mélange de certitudes et de bonnes intentions, de doute et de désarroi, la société semble se laisser dériver. Pourquoi a-t-on si peu avancé en trente ans ?

En 73, la crise du pétrole a fait trembler le monde, et spécialement le monde riche. Quant au reste du monde, qui s'est soucié de l'aggravation de ses problèmes ?... Et le monde riche s'est habitué à sa peur. Il l'a oubliée. Il l'a détournée. L'avertissement était trop désagréable à entendre, on s'est bouché les oreilles. L'avertissement a été baptisé crise. Une vraie crise, bien présente. Pas la pauvreté générale, loin de là, mais tout de même, une croissance moins rapide de la richesse, et l'exclusion qui peu à peu se faisait accepter comme normale. Le chômage. Face au chômage, tout le monde s'est tétanisé. C'est bien compréhensible. Quand chacun voit autour de soi les entreprises "dégraisser" à tour de bras, quand chacun est touché ou craint de l'être, en lui-même ou dans ses proches, comment se préoccuper de ce qui peut arriver au monde dans vingt ou cinquante ans ? On essaie de parer au plus pressé, on essaie fébrilement des cautères sur des jambes de bois. On ne fait plus que regarder en arrière, on recherche cette bonne recette qui marchait si bien dans le passé. Ô temps, suspends ton vol... Retrouver la croissance des années bénies... Hors de la croissance, point de salut. Courage ! Fuyons ! En avant ! Foncer tête baissée, c'est tout ce qu'on sait faire depuis trente ans. L'imagination au pouvoir, criaient les murs de Mai. L'imagination n'a jamais pris le pouvoir depuis. Le pouvoir a été conquis par ce qu'on n'appelait pas encore la pensée unique, l'économisme, le libéralisme, la mondialisation, bref, la non-utopie absolue, le renoncement à inventer l'avenir, l'avenir laissé entre les mains du Marché. Et quel avenir peut inventer le Marché, sinon le contraire même de ce qui avait failli être compris en 73 ? D'ailleurs, le Marché ne nous montre-t-il pas que nous avons tremblé pour rien ? Malgré quelques soubresauts, le pétrole est moins cher que jamais, les voitures roulent toujours, toujours plus nombreuses, et entre deux krachs, la bourse bat record sur record. La croissance va repartir, le chômage va baisser. La crise va bien finir un jour...

En 73, une chance s'ouvrait de réinventer l'avenir. L'Occident a préféré reprendre les rails confortables du passé pour simplement les prolonger à l'infini, rester dans cette mortelle tranquillité du déjà vu. A force d'être tétanisés par le chômage, à force de ne plus oser penser autrement, de ne plus savoir que colmater les brèches, nous avons choisi le plus sûr moyen d'avoir et le chômage aujourd'hui, et un avenir bouché.

Cet ouvrage ne fournit pas l'avenir clés en mains, mais se limite essentiellement à un constat. Peu de solutions y sont avancées. On peut en faire le reproche. Mais je n'ai aucun mandat, aucune autorité pour proposer ces solutions. Celles-ci ne peuvent être imposées, sauf peut-être, un jour prochain, par la nécessité. Pour éviter d'en arriver là, de se laisser mener par les événements, on ne peut faire l'économie d'un regard lucide sur la situation, d'une réflexion sérieuse. Alors, en tranchant entre des désirs contradictoires, les hommes pourront élaborer et appliquer collectivement des solutions.

Les sismologues nous apprennent que dans certaines régions, les tremblements de terre surviennent périodiquement, libérant ainsi les tensions accumulées au fil du temps par les mouvements de l'écorce terrestre. Et plus la secousse tarde, plus elle est violente et meurtrière. La secousse de 73 n'était pas si forte ; elle a finalement fait plus de peur que de mal. Nous sommes vite retournés à nos occupations, un vague malaise au fond des tripes, mais ne voulant pas croire au prochain séisme. On a beau savoir qu'il va se produire, on en rejette l'idée même : tout est si calme aujourd'hui. Le premier pas est bien dans la lucidité.

Trente années perdues à ne prendre aucune décision vraie. La génération de 68 a largement raté son rendez-vous avec l'avenir. L'avenir reste donc à inventer. Nous laissera-t-il à nouveau trente ans à perdre ? Nous pouvons craindre que non. Il attend au contraire ce sursaut de lucidité, il attend notre prise de conscience, nos vraies décisions. C'est urgent.

Août 2003

TABLE DES MATIERES

Contact avec l'auteur : jean.aubin@tiscali.fr

JOUVE
11, bd de Sébastopol, 75001 Paris
Imprimé sur presse rotative numérique
N° 332661X - Dépôt Légal : Septembre 2003

Imprimé en France